CZECH

Anglicko - česká konverzace

Phrase Book

Martina Sobotíková

CZECH
Anglicko - česká konverzace

Martina Sobotíková

Vydala © INFOA, Nová 141, 789 72 Dubicko,
1. vydání, 2002

Zhotovila T.A.V.A. Olomouc & CCB, spol. s r. o.

OBSAH

PRONUNCIATION	***VÝSLOVNOST***	8
GENERAL EXPRESSIONS	***VŠEOBECNÉ VÝRAZY***	9
greetings and forms of address	*pozdravy a oslovení*	9
introduction	*představování*	10
parting	*loučení*	11
understanding	*dorozumění*	12
thanks	*děkování*	13
apologies	*omluvy*	13
agreement	*souhlas*	14
disagreement	*nesouhlas*	15
satisfaction	*spokojenost*	16
dissatisfaction and anger	*nespokojenost a rozčilení*	16
anxieties	*obavy*	17
surprise	*překvapení*	17
regret	*lítost*	18
assurance	*ujištění*	18
mistakes	*omyly*	19
hesitation	*váhání*	19
advice	*rady*	20
requests	*prosby*	20
invitation	*pozvání*	21
interruption of a conversation	*zásah do rozhovoru*	22
defence	*obrana*	22
VISIT	***NÁVŠTĚVA***	23
FAMILY	***RODINA***	25
personal details	*osobní údaje*	27
living	*bydlení*	28
IMPORTANT EXPRESSIONS	***DŮLEŽITÉ VÝRAZY***	29
questions	*otázky*	29

TRAFFIC REGULATIONS	***DOPRAVNÍ PŘEDPISY***	32
Czech Republic	*Česká republika*	32
TRAVELLING BY CAR	***CESTOVÁNÍ AUTEM***	33
driving instructions	*pokyny při jízdě*	33
asking and giving directions	*dotazy na cestu*	34
at the petrol station	*u čerpací stanice*	36
parking	*parkování*	37
a car hire company	*půjčovna aut*	37
breakdowns	*poruchy*	37
at the service station	*v autoopravně*	38
a car accident	*dopravní nehoda*	40
a traffic offence	*dopravní přestupek*	41
taxi	*taxi*	42
hitch-hiking	*autostop*	43
road signs	*dopravní značky*	44
TRAVELLING BY TRAIN	***CESTOVÁNÍ VLAKEM***	45
inquiry office	*informace*	45
tickets	*jízdenky*	47
on the platform	*na nástupišti*	49
on the train	*ve vlaku*	49
ticket inspection	*kontrola jízdenek*	51
left luggage/ baggage storage	*úschovna zavazadel*	51
information and warning signs	*informační nápisy a výstrahy*	53
TRAVELLING BY PLANE	***CESTOVÁNÍ LETADLEM***	54
flight information	*informace o letu*	54
booking air-tickets	*rezervace letenek*	55
check in	*odbavení*	56
on the plane	*v letadle*	56
after arrival	*po příletu*	57
information signs	*informační nápisy*	57

TRAVELLING BY SHIP	***CESTOVÁNÍ LODÍ***	58
on the boat	*na lodi*	59
TRAVELLING BY LOCAL TRANSPORT	***CESTOVÁNÍ MĚSTSKOU DOPRAVOU***	60
TRAVEL AGENCY	***CESTOVNÍ KANCELÁŘ***	62
tours	*okružní jízdy*	62
trips	*výlety*	62
border crossing	*hraniční přechod*	63
customs	*celnice*	64
HOTEL	***HOTEL***	65
reservation	*rezervace*	65
at the reception desk	*na recepci*	66
filling in a form	*vyplňování formuláře*	67
accommodation	*ubytování*	68
services	*služby*	69
messages	*vzkazy*	71
catering	*stravování*	71
complaints, defects and claims	*stížnosti, závady a reklamace*	72
check out	*odchod z hotelu*	73
RESTAURANT	***RESTAURACE***	74
at the table	*u stolu*	75
breakfast	*snídaně*	77
lunch, supper	*oběd, večeře*	78
beverages	*nápoje*	79
starters	*předkrmy*	79
soups	*polévky*	81
fish and seafood	*ryby a plody moře*	81
meat	*maso*	82
poultry	*drůbež*	84
side dishes	*přílohy*	84
vegetables	*zelenina*	85

salads	*saláty*	86
fruit	*ovoce*	87
herbs and spices	*bylinky a koření*	88
desserts	*zákusky*	89
alcoholic drinks	*nápoje alkoholické*	89
nonalcoholic drinks	*nápoje nealkoholické*	91
special food	*speciální strava*	92
bill	*účet*	93
complaints	*stížnosti*	94
menu	*jídelní lístek*	95
BANK	***BANKA***	97
POST OFFICE	***POŠTA***	100
TELEPHONE	***TELEFON***	103
SHOPPING	***NAKUPOVÁNÍ***	106
in a shop	*v obchodě*	108
chemist's/ pharmacy	*lékárna*	110
drugstore	*drogerie*	111
photographic and cinema articles	*fotopotřeby*	112
clothing store	*oděvy*	113
shoes	*obuv*	116
shoe repair's	*opravna obuvi*	117
bookshop, stationer's	*knihkupectví, papírnictví*	117
sports equipment	*sportovní potřeby*	118
electrical appliances	*elektropotřeby*	119
grocer's	*potraviny*	120
SIGNS	***NÁPISY***	122
I'M LOOKING FOR A JOB	***HLEDÁM PRÁCI***	124
HEALTH	***ZDRAVÍ***	129
at the doctor's	*u lékaře*	129
at the dentist	*u zubaře*	134

at the oculist	*u očního lékaře*	135
first aid	*první pomoc*	136
CULTURE	***KULTURA***	138
theatre	*divadlo*	138
music	*hudba*	139
cinema	*kino*	140
radio and television	*radio a televize*	140
books	*knihy*	142
newspapers and magazines	*noviny a časopisy*	144
sightseeing	*prohlížení pamětihodností*	144
SPORTS AND GAMES	***SPORT A HRY***	147
cycling	*cyklistika*	147
football	*fotbal*	147
tennis	*tenis*	148
aquatic sports	*vodní sporty*	149
volleyball	*odbíjená*	149
winter sports	*zimní sporty*	149
TIME	***ČAS***	151
days of the week, months, years	*dny v týdnu, měsíce, roky*	153
the seasons of the year	*roční období*	154
WEATHER	***POČASÍ***	155
NUMERALS	***ČÍSLOVKY***	157
cardinal numbers	*základní číslovky*	157
marks	*znaménka*	157
usage of numerals	*užití číslovek*	158
WEIGHTS AND MEASURES	***VÁHY A MÍRY***	158
units of length	*délkové jednotky*	158
units of weight	*váha*	159
units of capacity	*objemové míry*	159

PRONUNCIATION
VÝSLOVNOST

Letter	Approximate pronunciation	Symbol	Example	
c	like **ts** in ca**ts**	**ts**	**cesta**	tsesta
č	like **ch** in **ch**urch	**ch**	**klíč**	kleech
ch	like **ch** in Scottish lo**ch**	**kh**	**chtít**	kht^{y}eet
j	like **y** in **y**es	**y**	**jídlo**	yeedlo
ň	like **nn** in a**nn**ual or **ny** in ca**ny**on	**n^y**	**píseň**	peeseň
ř	like a rolled **r** but flatten the tip of the tongue to make a short forceful buzz like **ž** (below)	**rzh**	**tři** **Dvořák**	trzi dvorzhahk
š	like **sh** in **sh**ort	**sh**	**šest**	shest
ž	like **s** in plea**s**ure	**zh**	**žena**	zhena
á	like **a** in f**a**ther	**ah**	**máma**	mahma
é	similar to the **e** in b**e**d but longer	**eh**	**mléko**	mlehko
í, ý	like **ee** in s**ee**	**ee**	**bílý**	beelee
ó	like **o** in sh**o**rt; found only in foreign words	**ō**	**gól**	gōl
u	like **oo** in b**oo**k	**oo**	**ruka**	rooka
ú, ů	like **oo** in m**oo**n	**ōō**	**úkol**	ōōkol
y	like **i** in b**i**t	**i**	**byt**	bit
au	like **ow** in c**ow**	**aoo**	**auto**	aooto
ou	like **ow** in m**ow**, or the exclamation **oh**	**oh**	**mouka**	mohka
ě	when **t**, **d**, and **n** precede **ě**, they become **t^y**, **d^y** and **n^y**. The same happens if they are followed by the letter **i** and **í.** When **b, p, v, f** and **m** precede **ě,** they become **by**, **py**, **vy**, **fy** and **mny** respectively.			

GENERAL EXPRESSIONS
VŠEOBECNÉ VÝRAZY

GREETINGS AND FORMS OF ADDRESS
POZDRAVY A OSLOVENÍ

Good morning!	**Dobré jitro!**	*[dobreh yitro]*
Good afternoon!	**Dobré odpoledne!**	*[dobreh otpoledne]*
Good evening!	**Dobrý večer!**	*[dobree vecher]*
Good night!	**Dobrou noc!**	*[dobroh nots]*
How are you?	**Jak se máte?**	*[yak se mahte]*
I am very well, thank you.	**Děkuji, velmi dobře.**	*[d^{y}ekooyi velmi dobrzhe]*
I am fine, thanks.	**Dobře, díky.**	*[dobrzhe deeki]*
Not too bad.	**Není to špatné.**	*[nenee to shpatneh]*
How are you doing?	**Jak se vede?**	*[yak se vede]*
What have you been up to recently?	**Co pořád děláš?**	*[tso porzhaht d^{y}elahsh]*
Everything is all right.	**Všechno je v pořádku.**	*[fshekhno ye v porzhahdkoo]*
Hello/ Hi.	**Ahoj.**	*[a-hoy]*
Excuse me.	**Promiňte prosím.**	*[promin^{y}te proseem]*
Sorry!	**Pardon!**	*[pardon]*
I'm pleased to meet you.	**Jsem rád, že Vás potkávám.**	*[ysem raht zhe vahs potkahvahm]*
I'm glad to see you.	**Ráda Tě vidím.**	*[rahda t^{y}e videem]*
Sir!	**Pane!**	*[pane]*
Madam!	**Slečno/ paní!**	*[slechno/ panee]*
Mr Vlk!	**Pane Vlk!**	*[pane vlk]*
Mrs Vlková!	**Paní Vlková!**	*[panee vlkovah]*
Miss Vlková!	**Slečno Vlková!**	*[slechno vlkovah]*
Ladies and gentlemen!	**Dámy a pánové!**	*[dahmi a pahnoveh]*
Dear friends!	**Vážení přátelé!**	*[vahzhenee przhahteleh]*
Good-bye, Cheerio.	**Sbohem, ahoj.**	*[sbohem a-hoy]*

INTRODUCTIONS
PŘEDSTAVOVÁNÍ

Allow me to introduce Mr. Novy.	**Dovolte mi představit pana Nového.**	*[dovolte mi przhetstavit pana Noveh-ho]*
This is Mr. Vlk.	**To je pan Vlk.**	*[to ye pan vlk]*
How do you do?	**Těší mne.**	*[t^{y}eshee mn^{y}e]*
Pleased to meet you.	**Rád Vás poznávám.**	*[raht vahs poznahvahm]*
Let me introduce myself.	**Dovolte, abych se představila.**	*[dovolte abikh se przhetstavila]*
My name is ...	**Jmenuji se ...**	*[ymenooyi se]*
I'd like you to meet Mr. Novy.	**Rád bych, aby ses seznámil s panem Novým.**	*[raht bikh abi ses seznahmil s panem Noveem]*
Could you introduce me to the man/ woman?	**Představte mě, prosím, tomu pánovi/ té dámě.**	*[przhetstavte mn^{y}e proseem tomoo pahnovi/ teh dahmn^{y}e]*
He is my colleague.	**Je to můj kolega.**	*[ye to mōōy kolega]*
Meet my friend Petr.	**Seznam se s mým přítelem Petrem.**	*[seznam se s meem przheetelem Petrem]*
Have you two met?	**Znáte se vy dva?**	*[znahte se vi dva]*
- No. - Oh, sorry.	**- Ne. - Tak promiňte.**	*[ne tak promin^{y}te]*
Tom, this is Pavel.	**Tome, to je Pavel.**	*[Tome to ye Pavel]*
I think we have met before.	**Myslím, že jsme se už někde potkali.**	*[misleem zhe ysme se ush n^{y}egde potkali]*
We know each other by sight.	**Známe se od vidění.**	*[znahme se ot vid^{y}enee]*
How is your family?	**Jak se daří Vaší rodině?**	*[yak se darzhee vashee rodin^{y}e]*
Everybody is all right.	**Všichni jsou v pořádku.**	*[fshikhni ysoh v porzhahtkoo]*
How long have you been here?	**Jak jste tady dlouho?**	*[yak yste tadi dlohho]*
Is it your first visit?	**Je to vaše první návštěva?**	*[ye to vashe prvnee nahfsht^{y}eva]*
No, we were here last year.	**Ne, my jsme tady byli loni.**	*[ne mi ysme tadi bili loni]*

Do you like this place?	**Líbí se Vám tady?**	*[leebee se vahm tadi]*
Where are you from?	**Odkud jste?**	*[ot-koot yste]*
What is your nationality?	**Jaké jste národnosti?**	*[yakeh yste nahrodnost'i]*
I am Czech.	**Jsem Čech.**	*[ysem chekh]*
Are you here alone?	**Jste tady sám?**	*[yste tadi sahm]*
I'm here with my wife/ family/ husband.	**Já jsem tady se svou ženou/ rodinou/ manželem.**	*[yah ysem tadi se svoh zhenoh/ rod'i-noh/ manzhelem]*
Have you got any children?	**Máte děti?**	*[mahte d'et'i]*
Are you married/ single?	**Jste ženatý (vdaná)/ svobodný(ná)?**	*[yste zhenatee (vda-nah)/ svobodnee(nah)]*

PARTING
LOUČENÍ

I'd like to say goodbye.	**Ráda bych se rozloučila.**	*[rahda bikh se rozloh-chila]*
Sorry, I must be off now.	**Promiň, už musím jít.**	*[promin' oosh mooseem yeet]*
It's time to leave now.	**Teď už je načase odejít.**	*[tet' oosh ye nachase odeyeet]*
Thank you for a beautiful/ pleasant evening.	**Děkuji za krásný/ příjemný večer.**	*[d'ekooyi za krah-snee/ przheeyemnee vecher]*
I won't keep you any longer, I know you are in a hurry.	**Nebudu Vás zdržovat, vím, že spěcháte.**	*[neboodoo vahs zdrzhovat veem zhe spyekhah-te]*
Say hello to your family.	**Pozdravujte doma.**	*[pozdravoo-yte doma]*
I hope to see you again as soon as possible.	**Doufám, že se uvidíme co nejdříve.**	*[dohfahm zhe se oovid'eeme tso neydrzheeve]*
When can I see you again?	**Kdy tě zase uvidím?**	*[gdi t'e zase oovid'eem]*

UNDERSTANDING
DOROZUMĚNÍ

Do you speak English?	**Mluvíte anglicky?**	*[mlooveete anglitski]*
Yes, I do, but only a little.	**Ano, ale jen trochu.**	*[ano ale yen trokhoo]*
I speak only Czech.	**Mluvím jen česky.**	*[mlooveem yen cheskee]*

I speak English	**Mluvím anglicky**	*[mlooveem anglitski]*
- Bulgarian	**- bulharsky**	*[boolharski]*
- Czech	**- česky**	*[cheskee]*
- Danish	**- dánsky**	*[dahnski]*
- French	**- francouzsky**	*[frantsohski]*
- Dutch	**- holandsky**	*[holantski]*
- Italian	**- italsky**	*[italski]*
- Hungarian	**- maďarsky**	*[mad^{y}arski]*
- German	**- německy**	*[n^{y}emetski]*
- Chinese	**- čínsky**	*[cheenski]*
- Polish	**- polsky**	*[polski]*
- Portuguese	**- portugalsky**	*[portoogalski]*
- Rumanian	**- rumunsky**	*[roomoonski]*
- Russian	**- rusky**	*[rooski]*
- Greek	**- řecky**	*[rzhetski]*
- Slovak	**- slovensky**	*[slovenski]*
- Arabic	**- arabsky**	*[arapski]*
- Spanish	**- španělsky**	*[shpan^{y}elski]*
- Swedish	**- švédsky**	*[shvehtski]*
- Turkish	**- turecky**	*[tooretski]*

Do you understand me?	**Rozumíte mi?**	*[rozoomeete mi]*
I didn't understand anything/ everything.	**Nerozuměl jsem ničemu/ všemu.**	*[nerozoomn^{y}el ysem n^{y}ichemoo/ fshemoo]*
I can follow you only if you speak slowly.	**Rozumím, jen když mluvíte pomalu.**	*[rozoomeem yen gdish mlooveete pomaloo]*
What did you say?	**Co jste říkal?**	*[tso yste rzheekal]*

Don't speak so quickly, please.	**Prosím, nemluvte tak rychle.**	*[proseem nemloofte tak rikhle]*
Would you say it once more, please?	**Řekl byste to ještě jednou, prosím?**	*[rzhekl biste to yesh-ťe yednoh proseem]*
I didn't catch your name.	**Přeslechl jsem Vaše jméno.**	*[przheslekhl ysem vashe ymehno]*
How do you spell it?	**Jak se to píše?**	*[yak se to peeshe]*
Can you explain it to me?	**Můžete mi to vysvětlit?**	*[moozhete mi to visvyetlit]*
How do you say it in English?	**Jak se to řekne anglicky?**	*[yak se to rzhekne anglitski]*

THANKS
DĚKOVÁNÍ

Thank you. Thanks.	**Děkuji.**	*[ďekooyi]*
Thank you very much.	**Velmi Vám děkuji.**	*[velmi vahm ďekooyi]*
Thank you in advance.	**Děkujeme Vám předem.**	*[ďekooyeme vahm przhedem]*
I am very grateful to you.	**Jsem Vám velmi vděčný.**	*[ysem vahm velmi vďechnee]*
That's very kind of you.	**Jste velmi laskav.**	*[yste velmi laskaf]*
Thank you very much for your help.	**Velice Vám děkuji za Vaši pomoc.**	*[velitse vahm ďekoo-yi za vashi pomots]*
Thank you for everything you have done for me.	**Děkuji Vám za vše, co jste pro mne udělal.**	*[ďekooyi vahm za fshe tso yste pro mnʸe ooďelal]*
I thank you for your wish.	**Děkuji Vám za Vaše přání.**	*[ďekooyi vahm za vashe przhahnee]*
That's all right.	**Není zač.**	*[nenee zach]*

APOLOGIES
OMLUVY

I'm sorry. Sorry.	**Promiňte, prosím!**	*[prominʸte proseem]*
I beg your pardon.	**Prosím za prominutí.**	*[proseem za prominootee]*

I'm terribly sorry.	**Moc se omlouvám.**	*[mots se omlohvahm]*
Excuse my coming late.	**Promiňte, že jdu pozdě.**	*[promin^{y}te zhe ydoo pozd^{y}e]*
I'm sorry to have kept you waiting.	**Promiňte, že jsem Vás nechal čekat.**	*[promin^{y}te zhe ysem vahs nekhal chekat]*
Will you excuse me for a moment, please?	**Omluvíte mě, prosím, na okamžik?**	*[omlooveete mn^{y}e proseem na okamzhik]*
I have to apologize for ...	**Musím se omluvit za ...**	*[mooseem se omloovit za]*
Don't be angry, I'm not to blame for it.	**Nezlobte se, není to moje vina.**	*[nezlopte se nenee to moye vina]*
Excuse me for bothering you.	**Odpusťte, že Vás obtěžuji.**	*[otpoost^{y}te zhe vahs opt^{y}ezhoo-yi]*
I'm sorry to trouble you.	**Promiň, že tě obtěžuji.**	*[promin^y zhe t^{y}e opt^{y}ezhoo-yi]*
It is very unpleasant.	**Je mi to velmi nepříjemné.**	*[ye mi to velmi neprzheeyemneh]*
I forgot all about it, I am sorry.	**Promiňte, úplně jsem na to zapomněl.**	*[promin^{y}te ōōpln^{y}e ysem na to zapomn^{y}el]*
It was my fault, I'm sorry.	**Promiň, byla to má chyba.**	*[promin^y bila to mah khiba]*
Never mind.	**To nevadí.**	*[to nevadee]*
You needn't apologize.	**Nemusíte se omlouvat.**	*[nemooseete se omlohvat]*
It's all right.	**To je v pořádku.**	*[to ye v porzhahtkoo]*
Don't worry about it.	**Nedělejte si starosti.**	*[ned^{y}eleyte si starost^{y}i]*

AGREEMENT
SOUHLAS

Yes. Certainly. Sure.	**Ano. Jistě, zajisté.**	*[ano yist^{y}e zayisteh]*
All right. Good. O.K.	**Dobře.**	*[dobrzhe]*
By all means. Of course.	**Samozřejmě.**	*[samoz-rzheymn^{y}e]*
Yes, I'd love to.	**Ano, rád/ ráda.**	*[ano raht/ rahda]*
Oh yes, of course.	**Ale ano, ovšem.**	*[ale ano ofshem]*
I think so.	**Myslím, že ano.**	*[misleem zhe ano]*
Perhaps.	**Snad.**	*[snat]*

I agree.	**Souhlasím.**	*[soh-hlaseem]*
Agreed.	**Platí.**	*[plat^{y}ee]*
Excellent.	**Výborně.**	*[veeborn^{y}e]*
I understand. I see.	**Rozumím, chápu.**	*[rozoomeem khahpoo]*
You are right.	**Máte pravdu.**	*[mahte pravdoo]*
That's true.	**To je pravda.**	*[to ye pravda]*
By all means.	**Beze všeho.**	*[beze fsheho]*
It makes sense.	**To se rozumí samo sebou.**	*[to se rozoomee samo seboh]*
I like it.	**Líbí se mi to.**	*[leebee se mi to]*
Yes indeed.	**Opravdu.**	*[opravdoo]*
Well, that's the point.	**No právě.**	*[no prahvye]*
It's a good idea.	**To je dobrý nápad.**	*[to je dobree nahpat]*
Without any doubt.	**Bezpochyby.**	*[bespokhibi]*
I was just going to say that.	**To jsem právě chtěl říct.**	*[to ysem prahvye kht^{y}el rzheets]*
It's obvious.	**To je samozřejmé.**	*[to je samoz-rzheymeh]*
That's it.	**To je ono.**	*[to ye ono]*
No problem.	**Bez problémů.**	*[bes problehmōō]*
I'm all for it.	**Jsem pro.**	*[ysem pro]*

DISAGREEMENT
NESOUHLAS

No. Certainly not.	**Ne. Určitě ne.**	*[ne oorchit^{y}e ne]*
Rather not.	**Raději ne.**	*[rad^{y}eyi ne]*
I'm afraid not.	**Bohužel ne.**	*[bohoozhel ne]*
By no means.	**V žádném případě.**	*[v zhahdnehm przheepad^{y}e]*
I disagree with you.	**Nesouhlasím s tebou.**	*[nesoh-hlaseem s teboh]*
I hope not.	**Doufám, že ne.**	*[dohfahm zhe ne]*
No, on the contrary.	**Ne, naopak.**	*[ne naopak]*
Far from it.	**Ani nápad.**	*[ani nahpat]*
On no account.	**Za žádnou cenu.**	*[za zhahdnoh tsenoo]*
Not yet.	**Ještě ne.**	*[yesht^{y}e ne]*
Never. Never more.	**Nikdy.**	*[n^{y}igdi]*

I don't want to.	**Nechci.**	*[nekhtsi]*
I can't.	**Nemohu.**	*[nemohoo]*
I'm against it.	**Jsem proti tomu.**	*[ysem proti tomoo]*
I refuse it.	**Odmítám to.**	*[odmeetahm to]*
You must be wrong.	**Určitě se mýlíte.**	*[oorchit^{y}e se meeleete]*
That's not true.	**To není pravda.**	*[to nenee pravda]*
It's a lie.	**To je lež.**	*[to ye lesh]*
It's out of the question.	**To nepřipadá v úvahu.**	*[to neprzhipadah v ōōvahoo]*
It's not worth it.	**To nestojí za to.**	*[to nestoyee za to]*
Nonsense.	**Nesmysl.**	*[nesmisl]*

SATISFACTION
SPOKOJENOST

I am absolutely satisfied with it.	**Jsem s tím naprosto spokojen.**	*[ysem s teem naprosto spokoyen]*
Very good.	**Výborně.**	*[veeborn^{y}e]*
I'm glad to hear that.	**To jsem rád.**	*[to ysem raht]*
I'm very pleased.	**To mě opravdu těší.**	*[to mn^{y}e opravdoo t^{y}eshee]*
That's marvellous.	**To je báječné.**	*[to ye bahyechneh]*
Excellent.	**Vynikající.**	*[vin^{y}ika-yeetsee]*
You are lucky.	**To máte štěstí.**	*[to mahte sht^{y}est^{y}ee]*
I'm very pleased indeed.	**Udělal jste mi opravdu velkou radost.**	*[ood^{y}elal yste mi opravdoo velkoh radost]*

DISSATISFACTION AND ANGER
NESPOKOJENOST A ROZČILENÍ

I feel a strong dissatisfaction.	**Jsem silně nespokojen.**	*[ysem siln^{y}e nespokoyen]*
I am very disappointed.	**Jsem velmi zklamán.**	*[ysem velmi sklamahn]*
I feel very embarrased.	**Jsem v rozpacích.**	*[ysem v rospatseekh]*
I don't like it.	**To se mi nelíbí.**	*[to se mi neleebee]*
I must protest against it.	**Musím proti tomu protestovat.**	*[mooseem prot^{y}i tomoo protestovat]*

I've had enough!	**Už toho mám dost!**	*[oosh toho mahm dost]*
I am really angry with you.	**Zlobím se na tebe.**	*[zlobeem se na tebe]*
I am out of luck.	**Mám smůlu.**	*[mahm smōōloo]*
Stop it.	**Nechte toho.**	*[nekhte toho]*
Leave me alone.	**Dejte mi pokoj.**	*[deyte mi pokoy]*
What a shame!	**To je ostuda!**	*[to ye ostooda]*
That's silly.	**To je hloupé.**	*[to ye hlohpeh]*
Who do you think I am?	**Za koho mě máte?**	*[za koho mn'e mahte]*
To hell with it!	**K čertu!**	*[k chertoo]*
Pardon me!	**No dovolte!**	*[no dovolte]*
I'm waiting for an explanation.	**Očekávám vysvětlení.**	*[ochekahvahm visvyetlen'ee]*
You must be crazy!	**Ty ses snad zbláznil!**	*[ti ses snat zblahzn'il]*
Get out of here!	**Ven!**	*[ven]*

ANXIETIES
OBAVY

I'm frightened.	**Mám strach.**	*[mahm strakh]*
I'm anxious about you.	**Mám o tebe strach.**	*[mahm o tebe strakh]*
I'm afraid of darkness.	**Bojím se tmy.**	*[boyeem se tmi]*
He can't deal with it.	**Nemůže se s tím vyrovnat.**	*[nemōōzhe se s teem virovnat]*
There's nothing to be afraid of.	**Nemáš se čeho obávat.**	*[nemahsh se cheho obahvat]*
Don't worry.	**Nedělej si starosti.**	*[ned'eley si starost'i]*

SURPRISE
PŘEKVAPENÍ

That's surprising.	**To je překvapující.**	*[to ye przhekvapoo-yeetsee]*
What a nice surprise!	**To je milé překvapení!**	*[to ye mileh przhekvapenee]*

That's incredible.	**To je neuvěřitelné.**	*[to ye neoovye-rzhitelneh]*
What?	**Cože?**	*[tsozhe]*
How come?	**Jak to?**	*[yak to]*
Are you kidding?	**Děláte si legraci?**	*[dʸelahte si legratsi]*
Are you sure?	**Určitě?**	*[oorchitʸe]*
You are exaggerating.	**Přeháníte.**	*[przhehahnʸeete]*
Oh, dear me!	**No ne!**	*[no ne]*
Who'd have said that?	**Kdo by to byl řekl.**	*[gdo bi to bil rzhekᵘl]*
Good heavens!	**Proboha!**	*[proboha]*
I don't believe it.	**Tomu nevěřím.**	*[tomoo nevyerzheem]*

REGRET
LÍTOST

I am sorry about that.	**To mě mrzí.**	*[to mnʸe mrzee]*
I regret to inform you that ...	**Lituji, že vám musím oznámit, že ...**	*[litooyi ze vahm mooseem oznahmit zhe]*
It's a pity.	**To je škoda.**	*[to ye shkoda]*
I am afraid not.	**Bohužel ne.**	*[bohoozhel ne]*
I am sorry, but there is nothing I can do about it.	**Lituji, ale nedá se nic dělat.**	*[litooyi, ale nedah se nʸits dʸelat]*
Don't worry about that.	**Nic si z toho nedělejte.**	*[nʸits si s toho nedʸeleyte]*
Poor man!	**Chudák!**	*[khoodahk]*

ASSURANCE
UJIŠTĚNÍ

Sure. Certainly.	**Jistě.**	*[yistʸe]*
I'll keep my word.	**Dodržím slovo.**	*[dodrzheem slovo]*
I will take care of it.	**Já se o to postarám.**	*[yah se o to postarahm]*
I'll do everything I can.	**Učiním vše, co budu moci.**	*[oochinʸeem fshe tso boodoo motsi]*
Take it easy.	**Buďte klidný.**	*[bootʸte klidnee]*
You can be sure I will do that.	**Můžete se na mne spolehnout.**	*[mōōzhete se na mnʸe spolehnoht]*

MISTAKES
OMYLY

I've made a mistake.	**Zmýlil jsem se.**	*[zmeelil ysem se]*
It was my fault.	**To byla moje chyba.**	*[to bila moye khiba]*
Sorry, I mistook you for my friend.	**Promiňte, spletl jsem si Vás s mým přítelem.**	*[promin^{y}te splet^{u}l ysem si vahs s meem przheetelem]*
I did it by mistake.	**Udělal jsem to omylem.**	*[ood^{y}elal ysem to omilem]*

HESITATION
VÁHÁNÍ

Without hesitation.	**Bez váhání.**	*[bes vah-hahn^{y}ee]*
Maybe.	**Možná.**	*[mozhnah]*
It makes no difference.	**To je jedno.**	*[to ye yedno]*
I don't care.	**Je mi to jedno.**	*[ye mi to yedno]*
I'm not sure.	**Nejsem si jist.**	*[neysem si yist]*
Probably.	**Pravděpodobně.**	*[pravd^{y}epodobn^{y}e]*
I doubt it.	**Pochybuji o tom.**	*[pokhibooyi o tom]*
If you think.	**Jak myslíte.**	*[yak misleete]*
It depends.	**Přijde na to.**	*[prhiyde na to]*
I can't make up my mind.	**Nemohu se rozhodnout.**	*[nemohoo se rozhodnoht]*
I don't know.	**Nevím.**	*[neveem]*
I may be wrong./ I may be mistaken.	**Možná, že se mýlím.**	*[mozhnah zhe se meeleem]*
Perhaps, it may be.	**Snad, může být.**	*[snat mōōzhe beet]*
One never knows.	**Člověk nikdy neví.**	*[chlovyek n^{y}igdi nevee]*
That is impossible.	**To není možné.**	*[to nenee mozhneh]*
I shouldn't say so.	**To bych neřekl.**	*[to bikh nerzhekl]*
In my opinion.	**Podle mého názoru.**	*[podle meh-ho nahzoroo]*
Really? Indeed?	**Opravdu?**	*[opravdoo]*
I can hardly believe it.	**Sotva tomu můžu věřit.**	*[sotva tomoo mōōzhoo vyerzhit]*

ADVICE
RADY

Would you tell me what to do?	**Poradil bys mi, co mám udělat?**	*[porad'il bis mi tso mahm ood'elat]*
What would you do if you were me?	**Co byste dělal na mém místě?**	*[tso biste d'elal na mehm meest'e]*
I would never go there if I were you.	**Kdybych byl na tvém místě, nikdy bych tam nešel.**	*[gdibikh bil na tvehm meest'e n'igdi bikh tam neshel]*
In my opinion ...	**Podle mého názoru ...**	*[podle meh-ho nahzoroo]*

REQUESTS
PROSBY

Excuse me, could you pass me the cup?	**Prosím Vás, mohl byste mi podat ten šálek?**	*[proseem vahs moh"l biste mi podat ten shahlek]*
Would you tell me, please, ...	**Řekl byste mi ...**	*[rzhekl" biste mi]*
I'm sorry to trouble you, but ...	**Promiňte, že Vás obtěžuji, ale ...**	*[promin'te zhe vahs opt'ezhooyi ale]*
Would you mind if ...	**Bude Vám vadit, když ...**	*[boode vahm vad'it, gdish]*
Would you show us ...	**Ukázal byste nám ...**	*[ookahzal biste nahm]*
Excuse me, please, would you be so kind and ...	**Promiňte, prosím, byl byste tak laskav a ...**	*[promin'te proseem bil biste tak laskaf a]*
I would like to ask you about something.	**Rád bych se Vás na něco zeptal.**	*[raht bikh se vahs na n'etso zeptal]*
Would you kindly give me back ...	**Vrátil byste mi laskavě ...**	*[vraht'il biste mi laskavye]*
Just a moment, please.	**Okamžik, prosím.**	*[okamzhik proseem]*
Please wait.	**Počkejte.**	*[pochkeyte]*

INVITATION
POZVÁNÍ

What's your programme for tonight?	**Co děláte dnes večer?**	*[tso d^{y}elahte dnes vecher]*
Are you going to be busy tomorrow?	**Budeš mít zítra hodně práce?**	*[boodesh meet zeetra hodn^{y}e prahtse]*
May I invite you to dinner tonight?	**Mohl bych Vás pozvat dnes na večeři?**	*[moh^{u}l bikh vahs pozvat dnes na vecherzhi]*
I was wondering if you would join me for lunch today?	**Rád bych věděl, jestli byste se mnou dnes šla na oběd.**	*[raht bikh vyed^{y}el yestli biste se mnoh dnes shla na obyet]*
Thank you for your invitation.	**Děkuji za pozvání.**	*[d^{y}ekooyi za pozvahn^{y}ee]*
It would be my pleasure.	**S potěšením.**	*[s pot^{y}eshen^{y}eem]*
I am delighted.	**Velmi rád.**	*[velmi raht]*
I accept your invitation with pleasure.	**S potěšením Vaše pozvání přijímám.**	*[s pot^{y}eshen^{y}eem vashe pozvahn^{y}ee przhiyeemahm]*
Thank you for asking but maybe next time.	**Děkuji za pozvání, ale snad příště.**	*[d^{y}ekooyi za pozvahnee ale snat przheesht^{y}e]*
I'm afraid I have to refuse.	**Bohužel, musím odmítnout.**	*[bohoozhel mooseem odmeetnoht]*
I'd love to, but ...	**Ráda bych, ale ...**	*[rahda bikh ale]*
I wish I could, but I have some people around.	**Kéž bych mohla, ale mám návštěvu.**	*[kehsh bikh mohla ale mahm nahfsht^{y}e-voo]*
Would you like to go to the cinema?	**Chtěla bys jít do kina?**	*[kht^{y}ela bis yeet do kina]*
That sounds fantastic.	**To zní fantasticky.**	*[to zn^{y}ee fantastitski]*
Yes, I will come.	**Ano, přijdu.**	*[ano przhiydoo]*
I'll come for sure.	**Přijdu určitě.**	*[przhiydoo oorchit^{y}e]*
It's a problem.	**To se mi nehodí.**	*[to se mi nehod^{y}ee]*
I'm afraid, I can't.	**Bohužel nemůžu.**	*[bohoozhel nemōōzhoo]*
I'm very busy.	**Nemám čas.**	*[nemahm chas]*

It's a good idea but ...	**To je dobrý nápad, ale ...**	*[to ye dobree nahpat ale]*
No, thanks.	**Děkuji, nechci.**	*[d^{y}ekooyi nekhtsi]*
Drop in and see us sometimes.	**Přijďte někdy k nám.**	*[przhit^{y}te n^{y}egdi k nahm]*
When I am able to, I'll come.	**Až budu moci, přijdu.**	*[ash boodoo motsi przhiydoo]*

INTERRUPTION OF A CONVERSATION
ZÁSAH DO ROZHOVORU

I'm sorry to break you off.	**Promiňte, že Vás přerušuji.**	*[promin^{y}te zhe vahs przherooshooyi]*
Excuse me for barging in, but ...	**Promiň, že ti skáču do řeči, ale ...**	*[promin^y zhe t^{y}i skahchoo do rzhechi ale]*
We'll see if ...	**Uvidíme, jestli ...**	*[oovid^{y}eeme yestli]*
I have to tell you that ...	**Musím Vám říci, že ...**	*[mooseem vahm rzheetsi zhe]*
In any case.	**V každém případě.**	*[v kazhdehm przheepad^{y}e]*
I suppose that ...	**Předpokládám, že ...**	*[przhetpoklahdahm zhe]*
You are right, but ...	**Máte pravdu, ale ...**	*[mahte pravdoo ale]*
Wait a minute!	**Moment!**	*[moment]*

DEFENCE
OBRANA

Help!	**Pomoc!**	*[pomots]*
Fire!	**Hoří!**	*[horzhee]*
Thief!	**Zloděj!**	*[zlod^{y}ey]*
Catch him!	**Chyťte ho!**	*[khit^{y}te ho]*
Look out!	**Pozor!**	*[pozor]*
Call the police!	**Zavolejte policii!**	*[zavoleyte politsiyi]*
Be quiet!	**Mlč!**	*[mlch]*
Go away!	**Běžte pryč!**	*[byeshte prich]*
Get out!	**Vypadni!**	*[vipadn^{y}i]*
Stop it! Drop it!	**Dejte s tím pokoj!**	*[deyte s t^{y}eem pokoy]*

VISIT
NÁVŠTĚVA

Come in, please.	**Prosím, pojďte dál.**	*[proseem pot'te dahl]*
Welcome!	**Srdečně Vás vítám!**	*[srdechn'e vahs veetahm]*
Take off your coat.	**Odložte si.**	*[odloshte si]*
I hope you will like it in our house.	**Doufám, že se Vám u nás bude líbit.**	*[dohfahm zhe se vahm oo nahs boode leebit]*
Here is a small present.	**Zde je malý dárek.**	*[zde ye malee dahrek]*
It's very nice of you.	**Je to od Vás velice hezké.**	*[ye to ot vahs velitse heskeh]*
You shouldn't have done that.	**To nemuselo být.**	*[to nemooselo beet]*
Take a seat.	**Posaďte se, prosím.**	*[posat'te se proseem]*
Can I offer you anything to eat/ drink?	**Mohu Vám nabídnout něco k jídlu/ pití?**	*[mohoo vahm nabeednoht n'etso k yeedloo/ pit'ee]*
Beer, juice, lemonade, a cup of coffee or tea?	**Pivo, džus, limonádu, kávu nebo čaj?**	*[pivo dzhoos limonahdoo kahvoo nebo chay]*
You must be hungry.	**Máte jistě hlad.**	*[mahte yist'e hlat]*
It's delicious.	**To je vynikající.**	*[to ye vin'ikayeetsee]*
May I have another piece?	**Mohu si vzít ještě kousek?**	*[mohoo si vzeet yesht'e kohsek]*
Of course, help yourself.	**Ovšem, jen si posložte.**	*[ofshem yen si posloohshte]*
Can I give you a little more?	**Mohu Vám ještě nalít?**	*[mohoo vahm yesht'e naleet]*
No, thank you.	**Děkuji, nechci.**	*[d'ekooyi nekhtsi]*
Would you mind if I smoke here?	**Bude Vám vadit, když si zapálím?**	*[boode vahm vad'it, gdish si zapahleem]*
Do you smoke?	**Kouříte?**	*[kohrzheete]*
No, thanks, I don't smoke.	**Ne, děkuji, nekouřím.**	*[ne d'ekooyi nekohrzheem]*

I smoke cigars.	**Já kouřím doutníky.**	*[yah kohrzheem dohtn^{y}eeki]*
I tried to stop smoking several times.	**Několikrát jsem se snažil odnaučit kouřit.**	*[n^{y}ekolikraht ysem se snazhil otnaoochit kohrzhit]*
Do you mind the smoke?	**Nevadí Vám kouř?**	*[nevadee vahm kohrzh]*
May I have a light, please?	**Zapálíte mi, prosím?**	*[zapahleete mi proseem]*
cigarette	**cigareta**	*[tsigareta]*
ash-tray	**popelník**	*[popeln^{y}eek]*
smoke	**dým, kouř**	*[deem kohrzh]*
pipe	**dýmka**	*[deemka]*
lighter	**zapalovač**	*[zapalovach]*
match	**zápalka**	*[zahpalka]*
to light up	**zapálit si**	*[zapahlit si]*
put out	**zhasit**	*[zhasit]*
I should be off now.	**Měla bych už jít.**	*[mn^{y}ela bikh oosh yeet]*
Thank you for the pleasant evening.	**Děkujeme za krásný večer.**	*[d^{y}ekooyeme za krahsnee vecher]*
It's your turn now.	**Nyní je řada na Vás.**	*[nin^{y}ee ye rzhada na vahs]*
We are looking forward to seeing you again.	**Těšíme se, že Vás zase uvidíme.**	*[t^{y}esheeme se zhe vahs zase oovid^{y}ee-me]*
Come soon again.	**Přijď zase brzy.**	*[przhit^{y} zase brzi]*
It was our pleasure.	**Těšilo nás.**	*[t^{y}eshilo nahs]*
I'll see you home.	**Doprovodím Vás.**	*[doprovodeem vahs]*
I am sorry to bother you.	**Promiňte, že Vás obtěžuji.**	*[promin^{y}te zhe vahs opt^{y}ezhooyi]*
What can I do for you?	**Co pro Vás mohu udělat?**	*[tso pro vahs mohoo ood^{y}elat]*
Could you give me an advice?	**Mohl byste mi poradit?**	*[mohl biste mi porad^{y}it]*
It's not worth mentioning.	**To nestojí za řeč.**	*[to nestoyee za rzhech]*
I am deeply indebted to you.	**Jsem Vám velmi zavázán.**	*[ysem vahm velmi zavahzahn]*

FAMILY
RODINA

husband	manžel	[manzhel]
wife	manželka	[manzhelka]
daughter	dcera	[tsera]
son	syn	[sin]
mother	matka	[matka]
father	otec	[otets]
brother	bratr	[bratr]
sister	sestra	[sestra]
grandmother	babička	[babichka]
grandfather	dědeček	[ďedechek]
cousin	bratranec	[bratranets]
cousin	sestřenice	[sestrzhenʸitse]
great-grandmother	prababička	[prababichka]
great-grandfather	pradědeček	[praďedechek]
granddaughter	vnučka	[vnoochka]
grandson	vnuk	[vnook]
aunt	teta	[teta]
uncle	strýc	[streets]
niece	neteř	[neterzh]
nephew	synovec	[sinovets]
mother-in-law	tchyně	[tkheenʸe]
father-in-law	tchán	[tkhahn]
daughter-in-law	snacha	[snakha]
son-in-law	zeť	[zetʸ]
stepparents	nevlastní rodiče	[nevlastnʸee roďiche]
stepmother/ stepfather	nevlastní matka/ otec	[nevlastnʸee matka/ otets]
stepdaughter/ stepson	nevlastní dcera/ syn	[nevlastnʸee tsera/ sin]
stepsister/ stepbrother	nevlastní sestra/ bratr	[nevlastnʸee sestra/ bratr]

I am married.	**Jsem ženatý (vdaná).**	*[ysem zhenatee (vdanah)]*

- engaged	**- zasnoubený/á**	*[zasnohbenee/ah]*
- single	**- svobodný/á**	*[svobodnee/ah]*
- divorced	**- rozvedený/á**	*[rozvedenee/ah]*
- a widower/ widow	**- vdovec/ vdova**	*[vdovets/ vdova]*
We are newly-weds.	**Jsme novomanželé.**	*[ysme novo-manzheleh]*
We go out together.	**Chodíme spolu.**	*[khod^{y}eeme spoloo]*
How many children do you have?	**Kolik máte dětí?**	*[kolik mahte d^{y}et^{y}ee]*
I've got one son from my former marriage.	**Z předchozího manželství mám syna.**	*[z przhet-khozeeho manzhelstvee mahm sina]*
I have got two children, one girl and one boy.	**Mám dvě děti, jednu dívku a jednoho kluka.**	*[mahm dvye d^{y}et^{y}i yednoo d^{y}eefkoo a yednoho klooka]*
How old is your daughter?	**Kolik je Vaší dceři?**	*[kolik ye vashee tserzhi]*
My daughter is still a baby.	**Moje dcera je ještě miminko.**	*[moye tsera ye yesht^{y}e miminko]*
He is a toddler.	**Je to batole.**	*[ye to batole]*
Do you have any brothers or sisters?	**Máš nějaké sourozence?**	*[mahs n^{y}eyakeh sohrozentse]*
No, I am an only child.	**Ne, jsem jedináček.**	*[ne ysem yed^{y}inahchek]*
Is she your sister?	**To je tvoje sestra?**	*[to ye tvoye sestra]*
We want to adopt her as a daughter.	**Chceme ji adoptovat.**	*[khtseme yi adoptovat]*
They are twins/ triplets.	**Jsou to dvojčata/ trojčata.**	*[ysoh to dvoychata/ troychata]*
He is a close/ a distant relation of mine.	**Je to můj blízký/ vzdálený příbuzný.**	*[ye to mōōy blees-kee/ vzdahlenee przheeboo znee]*
When are you going to get married?	**Kdy se budeš ženit/ vdávat?**	*[gdi se boodesh zhen^{y}it/ vdahvat]*
I got divorced.	**Rozvedl/a jsem se.**	*[rozvedl/a ysem se]*
She is an orphan.	**Je to sirotek.**	*[ye to sirotek]*
He's a bachelor.	**Je to starý mládenec.**	*[ye to staree mlahdenets]*
She's a spinster.	**Je to stará panna.**	*[ye to starah pana]*

PERSONAL DETAILS
OSOBNÍ ÚDAJE

What is your name?	**Jak se jmenujete?**	*[yak se ymenooyete]*
What's your first name?	**Jaké je Vaše křestní jméno?**	*[yakeh ye vashe krzhestn^{y}ee ymehno]*
What's your surname?	**Jaké je Vaše příjmení?**	*[yakeh ye vashe przheeymen^{y}ee]*
What's your title?	**Jaký máte titul?**	*[yakee mahte titool]*
What's your permanent address?	**Jaká je adresa trvalého bydliště?**	*[yakah ye adresa trvaleh-ho bidlisht^{y}e]*
What's your telephone number?	**Jaké je Vaše telefonní číslo?**	*[yakeh ye vashe telefon^{y}ee cheeslo]*
Sex: female/ male	**Pohlaví: ženské/ mužské**	*[pohlavee zhenskeh/ mooshskeh]*
How old are you?	**Kolik je Vám let?**	*[kolik ye vahm let]*
When were you born?	**Kdy jste se narodil?**	*[gdi yste se narod^{y}il]*
Where were you born?	**Kde jste se narodil?**	*[gde yste se narod^{y}il]*
What's your personal number?	**Jaké je Vaše rodné číslo?**	*[yakeh ye vashe rodneh cheeslo]*
What is your nationality?	**Jaká je Vaše národnost?**	*[yakah ye vashe nahrodnost]*
I am Czech.	**Jsem Čech.**	*[ysem chekh]*
What's your marital status?	**Jaký je Váš stav?**	*[yakee ye vahsh staf]*
I am ...	**Jsem ...**	*[ysem]*
- married	**- ženatý/ vdaná**	*[zhenatee/ vdanah]*
- divorced	**- rozvedený/á**	*[rozvedenee/ah]*
- widowed	**- ovdovělý/á**	*[ovdovyelee/ah]*
Have you got any children?	**Máte děti?**	*[mahte d^{y}et^{y}i]*
What's your occupation/ job?	**Jaké máte povolání?**	*[yakeh mahte povolahn^{y}ee]*
I work as a waiter.	**Pracuji jako číšník.**	*[pratsooyi yako cheeshn^{y}eek]*
What's your education?	**Jaké máte vzdělání?**	*[yakeh mahte vzd^{y}elahn^{y}ee]*

LIVING
BYDLENÍ

We live in ...	**Bydlíme v ...**	*[bidleeme v]*
- a detached house	**- samostatném domě**	*[samostatnehm domn^ye]*
- semidetached house	**- dvojdomku**	*[dvoydomkoo]*
- a terraced house	**- řadovém domě**	*[rzhadovehm domn^ye]*
- a villa	**- vile**	*[vile]*
There is a living room, a dining room and a kitchen on the ground floor.	**V prvním patře je obývací pokoj, jídelna a kuchyň.**	*[v prvn^yeem patrzhe ye obeevatsee pokoy yeedelna a kookhin^y]*
Your living room looks very large.	**Váš obývací pokoj vypadá velmi velký.**	*[vahsh obeevatsee pokoy vipadah velmi velkee]*
There is a toilet behind the kitchen.	**Toaleta je za kuchyní.**	*[toaleta ye za kookhin^yee]*
Let's go upstairs.	**Pojďme nahoru.**	*[pot^yme nahoroo]*
There is a children's room, a bathroom, and a bedroom on this floor.	**Na tomto patře je dětský pokoj, koupelna a ložnice.**	*[na tomto patrzhe ye d^yetskee pokoy kohpelna a lozhn^yitse]*
We have gas central heating in the house.	**Dům má ústřední topení na plyn.**	*[dōōm mah ōōstrzhedn^yee topen^yee na plin]*
Your house is furnished in very good taste.	**Váš dům je velmi vkusně vybaven nábytkem.**	*[vahs dōōm ye velmi fkoosn^ye vibaven nahbitkem]*
Have you rented the house?	**Ten dům máte pronajatý?**	*[ten dōōm mahte pronayatee]*
Your house is really beautiful.	**Váš dům je opravdu nádherný.**	*[vahs dōōm ye opravdoo nahdhernee]*
Have you seen our garden behind the house yet?	**Viděli jste už naši zahradu za domem?**	*[vid^yeli yste oosh nashi zahradoo za domem]*
My house - my castle.	**Můj dům - můj hrad.**	*[mōōy dōōm mōōy hrat]*

IMPORTANT EXPRESSIONS
DŮLEŽITÉ VÝRAZY

QUESTIONS
OTÁZKY

What?	**Co?**	*[tso]*
What is that?	**Co je to?**	*[tso ye to]*
What is happening?	**Co se děje?**	*[tso se d^{y}eye]*
What does it mean?	**Co to znamená?**	*[tso to znamenah]*
What are you interested in?	**O co se zajímáte?**	*[o tso se zayeemahte]*
What is the matter with you?	**Co je ti?**	*[tso ye t^{y}i]*
What are you looking for?	**Co hledáte?**	*[tso hledahte]*
What do you like?	**Co se Vám líbí?**	*[tso se vahm leebee]*
What do you want?	**Co chceš?**	*[tso khtsesh]*
What's your opinion?	**Co si o tom myslíte?**	*[tso si o tom misleete]*
What's your name?	**Jak se jmenujete?**	*[yak se ymenooyete]*
What shall I do?	**Co mám dělat?**	*[tso mahm d^{y}elat]*
What are you thinking about?	**Nač myslíte?**	*[nach misleete]*
What is the date today?	**Kolikátého je dnes?**	*[kolikahteh-ho ye dnes]*
What is the time?	**Kolik je hodin?**	*[kolik ye hod^{y}in]*
What time do they open/ close?	**Kdy otevírají/ zavírají?**	*[gdi oteveerayee/ zaveerayee]*
What is the weather like?	**Jaké je počasí?**	*[yakeh ye pochasee]*
Who is it?	**Kdo je to?**	*[gdo ye to]*
Who are you?	**Kdo jste?**	*[gdo yste]*
Who is waiting for you?	**Kdo na Vás čeká?**	*[gdo na vahs chekah]*
Who do you want to talk to?	**S kým chcete mluvit?**	*[s keem khtsete mloovit]*

Who is it from?	**Od koho to je?**	*[ot koho to ye]*
Who are you waiting for?	**Na koho čekáte?**	*[na koho chekahte]*
Who did you phone?	**Komu jsi volal?**	*[komoo ysi volal]*
Whose book is it?	**Čí je ta kniha?**	*[chee ye ta kn^{y}iha]*
Where is/ are ...?	**Kde je/ jsou ...?**	*[gde ye/ ysoh]*
Where do you live?	**Kde bydlíte?**	*[gde bidleete]*
Where were you born?	**Kde jste se narodil?**	*[gde yste se narod^{y}il]*
Where is the station?	**Kde je nádraží?**	*[gde ye nahdrazhee]*
Where are you from?	**Odkud jste?**	*[otkoot yste]*
When?	**Kdy?**	*[gdi]*
Till when do you want to stay here?	**Do kdy zde chcete zůstat?**	*[do gdi zde khtsete zōōstat]*
From what time is it open?	**Od kolika je otevřeno?**	*[ot kolika ye otevrzheno]*
Why?	**Proč?**	*[proch]*
Why did you do that?	**Proč jsi to udělal?**	*[proch ysi to ood^{y}elal]*
How are you?	**Jak se máte?**	*[yak se mahte]*
How far is it?	**Jak je to daleko?**	*[yak ye to daleko]*
How long are you going to stay here?	**Jak dlouho zde zůstanete?**	*[yak dloh-ho zde zōōstanete]*
How long have you been in England?	**Odkdy jste v Anglii?**	*[otgdi yste v anglii]*
How much? How many?	**Kolik?**	*[kolik]*
How much is it?	**Kolik to stojí?**	*[kolik to stoyee]*
How old is he?	**Kolik mu je let?**	*[kolik moo ye let]*
How can I get ...?	**Kudy se jde ...?**	*[koodi se yde]*
How do you spell that?	**Jak se to píše?**	*[yak se to peeshe]*
How do you pronounce it?	**Jak se to vyslovuje?**	*[yak se to vislovooye]*
How did it happen?	**Jak se to stalo?**	*[yak se to stalo]*
Which?	**Který?**	*[kteree]*
Could you ...?	**Mohl/a byste mi ...?**	*[mohl^{u}l/a biste mi]*

- give me	**- dát**	*[daht]*
- show me	**- ukázat**	*[ookahzat]*
- tell me	**- říct**	*[rzheetst]*
Can I help you?	**Mohu vám pomoci?**	*[mohoo vahm pomotsi]*
Are you looking for anything?	**Hledáte něco?**	*[hledahte nʸetso]*
Do you need anything?	**Potřebujete něco?**	*[potrzhebooyete nʸetso]*
Are you hungry?	**Máte hlad?**	*[mahte hlat]*
Are you thirsty?	**Máte žízeň?**	*[mahte zheezenʸ]*
Are you tired?	**Jsi unavený/á?**	*[ysi oonavenee/ah]*
Is it important?	**Je to důležité?**	*[ye to dōōlezhiteh]*
Are you in a hurry?	**Spěcháte?**	*[spyekhahte]*

It is ...	**To je ...**	*[to ye]*
old/ young	**staré/ mladé**	*[stareh/ mladeh]*
old/ new	**staré/ nové**	*[stareh/ noveh]*
beautiful/ ugly	**krásné/ ošklivé**	*[krahsneh/ oshkliveh]*
good/ bad	**dobré/ špatné**	*[dobreh/ shpatneh]*
expensive/ cheap	**laciné/ drahé**	*[latsineh/ draheh]*
early/ late	**brzo/ pozdě**	*[brzo/ pozdʸe]*
big/ small	**velké/ malé**	*[velkeh/ maleh]*
high/ low	**vysoké/ nízké**	*[visokeh/ nʸeeskee]*
hard/ soft	**tvrdé/ měkké**	*[tvrdeh/ mnʸekeh]*
near/ far	**blízko/ daleko**	*[bleesko/ daleko]*
hot/ cold	**horké/ studené**	*[horkeh/ stoodeneh]*
fresh/ stale	**čerstvé/ staré**	*[cherstveh/ stareh]*
here/ there	**tady/ tam**	*[tadi/ tam]*
first/ last	**první/ poslední**	*[prvnʸee/ poslednʸee]*
open/ closed	**otevřené/ zavřené**	*[otevrzheneh/ zavrzheneh]*
right/ wrong	**správné/ špatné**	*[sprahvneh/ shpatneh]*
fast/ slow	**rychlé/ pomalé**	*[rikhleh/ pomaleh]*
heavy/ light	**těžké/ lehké**	*[tʸeshkeh/ lekhkeh]*
clean/ dirty	**čisté/ špinavé**	*[chisteh/ shpinaveh]*
loud/ quiet	**hlasité/ tiché**	*[hlasiteh/ tʸikheh]*

TRAFFIC REGULATIONS
DOPRAVNÍ PŘEDPISY

CZECH REPUBLIC
ČESKÁ REPUBLIKA

CZECH REPUBLIC - driving on the right

The maximum speed:

in the village	31,25 m/h	(50 km/h)
past the village	56,25 m/h	(90 km/h)
on the highway	81,25 m/h	(130 km/h)
residential zone	18,75 m/h	(30 km/h)

Use of the seat-belts: obligatory
The maximum alcohol in the blood: 0 ‰

EMERGENCY CALL :

police (phone): **158**
first aid (phone): **155**
fire brigade (phone): **150**

The contact to the embassies:

United Kingdom
The address: Thunovská 14, Praha 1
Phone: 02/ 5740 2111

United States of America
The address: Tržiště 15, Praha 1
Phone: 02/ 5753 0663

TRAVELLING BY CAR
CESTOVÁNÍ AUTEM

Have you got a car?	**Máte auto?**	*[mahte aooto]*
What kind of car have you got?	**Jakou značku auta máte?**	*[yakoh znachkoo aoota mahte]*
Is it a good car?	**Je to dobrý vůz?**	*[ye to dobree vōōs]*
It's a very comfortable, reliable and safe car.	**Je to velmi pohodlné, spolehlivé a bezpečné auto.**	*[ye to velmi pohodlneh spolehliveh a bespechneh aooto]*
How many miles does it make to the gallon?	**Jakou má spotřebu?**	*[yakoh mah spotrzheboo]*
Can you drive?	**Umíte řídit?**	*[oomeete rzheedʸit]*
I am only a beginner.	**Jsem teprve začátečník.**	*[ysem teprve zachahtechnʸeek]*
I am a very careful driver.	**Řídím velmi opatrně.**	*[rzheedʸeem velmi opatrnʸe]*

DRIVING INSTRUCTIONS
POKYNY PŘI JÍZDĚ

Why are you driving so fast?	**Proč jedete tak rychle?**	*[proch yedete tak rikhle]*
Take your foot off the gas.	**Uberte plyn.**	*[ooberte plin]*
Be careful!	**Dejte pozor!**	*[deyte pozor]*
Put the brake on!	**Brzdi!**	*[brzdʸi]*
Look out!	**Pozor!**	*[pozor]*
Now you can overtake/ pass.	**Teď můžete předjíždět.**	*[tetʸ mōōzhete przhetyeezhdʸet]*
Turn right.	**Odbočte doprava.**	*[odbochte doprava]*
Put the lights on.	**Rozsviťte světla.**	*[rosvitʸte svyetla]*
Dip the headlights.	**Ztlumte světla.**	*[stloomte svyetla]*
Switch the lights off.	**Zhasni světla.**	*[zhasnʸi svyetla]*
Go straight.	**Jeďte rovně.**	*[yetʸte rovnʸe]*

Stop!	**Zastavte!**	*[zastafte]*
Back your car.	**Couvni.**	*[tsohvn^{y}i]*
Would you open the window, please?	**Otevřel bys, prosím, okno?**	*[otevrzhel bis proseem okno]*
Take the exit from the motorway.	**Odbočte z dálnice.**	*[odbochte z dahln^{y}itse]*
Go to the motorway.	**Jeďte na dálnici.**	*[yet^{y}te na dahln^{y}itsi]*

ASKING AND GIVING DIRECTIONS
DOTAZY NA CESTU

I am a stranger here.	**Nevyznám se tu.**	*[neviznahm se too]*
I have lost my way.	**Zabloudil jsem.**	*[zablohd^{y}il ysem]*
I'm sorry to trouble you.	**Promiňte, že obtěžuji.**	*[promin^{y}te zhe opt^{y}ezhooyi]*
Excuse me, how can we get to the station?	**Jak se dostaneme na nádraží?**	*[yak se dostaneme na nahdrazhee]*
Sorry, I don't know.	**Je mi líto, ale nevím.**	*[ye mi leeto ale neveem]*
I am afraid, you are going in the wrong direction.	**Bohužel jedete špatně.**	*[bohoozhel yedete shpatn^{y}e]*
You'll have to go back to ...	**Budete se muset vrátit zpátky ...**	*[boodete se mooset vraht^{y}it zpahtki]*
You should better ask someone else.	**Raději se zeptejte někoho jiného.**	*[rad^{y}eyi se zepteyte n^{y}ekoho yineh-ho]*
Go along this road till you reach a crossroads ...	**Jeďte po této silnici, dokud nepřijedete ke křižovatce ve ...**	*[yet^{y}te po tehto siln^{y}itsi dokoot neprzhiyedete ke krzhizhovat-tse ve]*
- a T-junction	**- tvaru „T“**	*[tvaroo teh]*
- a fork	**- tvaru „Y“**	*[tvaroo ipsilon]*
- lights	**- semaforům**	*[semaforōōm]*
- a roundabout	**- kruhovému objezdu**	*[kroohovehmoo obyezdoo]*
Shall I turn somewhere?	**Mám někde odbočit?**	*[mahm n^{y}egde odbochit]*

Is it near?	**Je to blízko?**	*[ye to bleesko]*
Watch out for the sign for Prague.	**Sledujte ukazatel do Prahy.**	*[sledooyte ookazatel do prahi]*
Go along the waterfront.	**Jeďte po nábřeží.**	*[jeťte po nahbrzhezhee]*
You'll go down the street, pass the bank and then take the first street on your right hand side.	**Pojedete dolů touto ulicí, minete banku a potom zahnete do první ulice po pravé straně.**	*[poyedete dolōō tohto oolitsee minete bankoo a potom zahnete do prvn'ee oolitse po praveh stran'e]*
Turn right after the traffic lights.	**Za semafory zahněte doprava.**	*[za semafori zahn'ete doprava]*
You'll have to take a U-turn, this is a dead end street.	**Budete se muset otočit, tohle je slepá ulice.**	*[boodete se mooset otochit tohle ye slepah oolitse]*
Can you show me the route on the map?	**Můžete mi ukázat cestu na mapě?**	*[mōōzhete mi ookahzat tsestoo na mapye]*
How far is it to ...?	**Jak je to daleko do ...?**	*[yak ye to daleko do]*
How long does it take to get to London by car?	**Za jak dlouho se dostaneme autem do Londýna?**	*[za yak dloh-ho se dostaneme aootem do londeena]*
It takes more than four hours.	**Trvá to více než čtyři hodiny.**	*[trvah to veetse nesh chtirzhi hod'ini]*
Is there a motorway?	**Je tam dálnice?**	*[ye tam dahln'itse]*
Where is the access ramp to the motorway?	**Kde je nájezd na dálnici?**	*[gde ye nahyest na dahln'itsi]*
Where are we now?	**Kde jsme teď?**	*[gde ysme tet']*
What's the name of this street?	**Jak se jmenuje tato ulice?**	*[yak se ymenooye tato oolitse]*
Where does this street lead?	**Kam vede tato ulice?**	*[kam vede tato oolitse]*
There is a long and complicated diversion/ detour.	**Je tam dlouhá a složitá objížďka.**	*[ye tam dloh-hah a slozhitah obyeesht'ka]*
This is the way to get downtown.	**Tudy se dostanete do centra města.**	*[toodi se dostanete do tsentra mn'esta]*

AT THE PETROL STATION
U ČERPACÍ STANICE

I've got only a little petrol.	**Mám už málo benzínu.**	*[mahm oosh mahlo benzeenoo]*
Where is the nearest petrol station?	**Kde je nejbližší benzínová stanice?**	*[gde ye neyblishee benzeenovah stan^{y}itse]*
Where can I get petrol?	**Kde mohu natankovat?**	*[gde mohoo natankovat]*
When are the petrol stations open?	**Kdy jsou benzínové pumpy otevřené?**	*[gdi ysoh benzeeno-veh poompi otevrzheneh]*
Full tank, please.	**Prosím, plnou nádrž.**	*[proseem plnoh nahdrsh]*
Give me 10 litres of ...	**Dejte mi 10 litrů ...**	*[deyte mi deset litroo]*
- super petrol	**- superu**	*[sooperoo]*
- normal petrol	**- normálu**	*[normahloo]*
- unleaded petrol	**- bezolovnatého benzínu**	*[bezolovnateh-ho benzeenoo]*
- diesel	**- nafty**	*[nafti]*
How much is one litre of super petrol?	**Kolik stojí litr superu?**	*[kolik stojee litr sooperoo]*
Check the ..., please	**Zkontrolujte ..., prosím**	*[skontrolooyte proseem]*
- battery	**- baterii**	*[bateriyi]*
- brake fluid	**- brzdovou kapalinu**	*[brzdovoh kapalinoo]*
- oil/ water	**- olej/ vodu**	*[oley/ vodoo]*
Fill oil up, please.	**Dolejte mi, prosím, olej.**	*[doleyte mi proseem, oley]*
At the exit you can inflate your tyres.	**U výjezdu si můžete napumpovat pneumatiky.**	*[oo veeyezdoo si mōōzhete napoompo-vat pneoomatiki]*
Have you got ...?	**Máte ...?**	*[mahte]*
- bulbs	**- žárovky**	*[zhahrofki]*
- sparking plugs	**- zapalovací svíčky**	*[zapalovatsee sveechki]*
- windscreen-wipers	**- stěrače**	*[st^{y}erache]*

PARKING
PARKOVÁNÍ

Is there a car park nearby?	**Je tu někde blízko parkoviště?**	*[ye too n^{y}egde bleesko parkovisht^{y}e]*
Parking is not allowed here.	**Tady je parkování zakázáno.**	*[tadi ye parkovah-n^{y}ee zakahzahno]*
Overnight.	**Přes noc.**	*[przhes nots]*
What's the charge per hour?	**Kolik se platí za hodinu?**	*[kolik se plat^{y}ee za hod^{y}inoo]*
Do I pay now or later?	**Platí se hned nebo až potom?**	*[plat^{y}ee se hnet nebo ash potom]*
You have to put the coins into the parking meter.	**Musíte vhodit mince do parkovacích hodin.**	*[mooseete vhod^{y}it mintse do parkova-tseekh hod^{y}in]*
Parking is free here.	**Parkování je tu bezplatné.**	*[parkovahn^{y}ee ye too besplatneh]*

A CAR HIRE COMPANY
PŮJČOVNA AUT

Is a car renting company around here?	**Je tady někde půjčovna aut?**	*[ye tadi n^{y}egde pōōychovna aoot]*
I'd like to rent a car for two days.	**Chtěla bych si na dva dny půjčit auto.**	*[kht^{y}ela bikh si na dva dni pōōychit aooto]*
The car rental is £300 per week.	**Pronájem tohoto auta na týden stojí 300 liber.**	*[pronahyem tohoto aoota na teeden stoyee trzhista liber]*

BREAKDOWNS
PORUCHY

What has happened?	**Co se stalo?**	*[tso se stalo]*
My car has broken down.	**Mně se pokazilo auto.**	*[mn^{y}e se pokazilo aooto]*
The engine won't start.	**Nestartuje mi motor.**	*[nestartooye mi motor]*

Could you give me a push, please?	**Mohl byste mě roztlačit?**	*[moh^{u}l bis-te mn^{y}e rostlachit]*
Could you give me a tow to the nearest garage for repair?	**Mohl byste mě odtáhnout na opravu do nejbližšího servisu?**	*[moh^{u}l bis-te mn^{y}e ot-tahnoht na opravoo do neyblisheeho servisoo]*
I have run out of petrol.	**Došel mi benzín.**	*[doshel mi benzeen]*
I have got a puncture in my back tyre.	**Píchl/a jsem zadní kolo.**	*[peekhl/a ysem zadn^{y}ee kolo]*
I've had a breakdown at ...	**Porouchalo se mi auto v ...**	*[porohk-halo se mi aooto v]*
Could you send here a car mechanic?	**Můžete sem poslat mechanika?**	*[mōōzhete sem poslat mekhanika]*

AT THE SERVICE STATION
V AUTOOPRAVNĚ

Can you change the tyre for me?	**Můžete mi vyměnit pneumatiku?**	*[mōōzhete mi vimn^{y}en^{y}it pneoomatikoo]*
How long will it take?	**Jak dlouho to bude trvat?**	*[yak dloh-ho to boode trvat]*
How much will the repair cost?	**Kolik bude stát oprava?**	*[kolik boode staht oprava]*
Insert the ignition key.	**Zasuňte klíček do zapalování.**	*[zasoon^{y}te kleechek do zapalovahn^{y}ee]*
Start up the engine.	**Nastartujte motor.**	*[nastartooyte motor]*
Leave the clutch.	**Pusťte spojku.**	*[poost^{y}te spoykoo]*
Press down the clutch.	**Sešlápněte spojku.**	*[seshlahpn^{y}ete spoykoo]*
Put the first speed.	**Zařaďte jedničku.**	*[zarzhat^{y}te yedn^{y}ichkoo]*
Change the gear.	**Přeřaďte rychlost.**	*[przherzhat^{y}te rikhlost]*
Press on the gas.	**Přidejte plyn.**	*[przhideyte plin]*
Put the car into reverse.	**Hoďte zpátečku.**	*[hot^{y}te spahtechkoo]*
Release the brakes.	**Uvolněte brzdy.**	*[oovoln^{y}ete brzdi]*

The engine ...	**Motor ...**	*[motor]*
- isn't working	**- nefunguje**	*[nefoongooye]*
- misses	**- vynechává**	*[vinekhah-vah]*
- overheats	**- se přehřívá**	*[se przhehrzheevah]*
The battery has run down.	**Baterie je vybitá.**	*[bateriye ye vibitah]*
The clutch is slipping.	**Spojka prokluzuje.**	*[spoyka proklоо-zooye]*
The oil is leaking.	**Teče olej.**	*[teche oley]*
The ball-bearing has run out.	**Ložisko se opotřebovalo.**	*[lozhisko se opotrzhebovalo]*
Can you ...?	**Můžete mi ...?**	*[mōōzhete mi]*
- check the ignition	**- zkontrolovat zapalování**	*[skontrolovat zapalovahn^yee]*
- adjust the brakes	**- seřídit brzdy**	*[serzheed^yit brzdi]*
- clean the sooted plugs	**- vyčistit zanesené svíčky**	*[vichist^yit zaneseneh sveechki]*
- charge the battery	**- nabít baterii**	*[nabeet bateriyi]*
- fill up brake fluid	**- doplnit brzdovou kapalinu**	*[dopln^yit brzdovoh kapalinoo]*
- align rear lights	**- seřídit zadní světla**	*[serzheed^yit zadn^yee svyetla]*
- align parking lights	**- seřídit parkovací světla**	*[serzheed^yit parko-vatsee svyetla]*
- align headlights	**- seřídit přední světla**	*[serzheed^yit przhed-n^yee svyetla]*
- align fog headlamps	**- seřídit mlhová světla**	*[serzheed^yit mlho-vah svyetla]*
- wash and grease the car	**- umýt a promazat vůz**	*[oomeet a promazat vōōs]*
- change the engine oil	**- vyměnit motorový olej**	*[vimn^yen^yit motoro-vee oley]*
- mend a puncture	**- spravit píchlou duši**	*[spravit peekhloh dooshi]*
- fix snow chains	**- namontovat řetězy**	*[namontovat rzhet^yezi]*
Your car is in order.	**Vaše auto je v pořádku.**	*[vashe aooto ye v porzhahtkoo]*
May I use your phone?	**Mohu si zatelefonovat?**	*[mohoo si zatelefo-novat]*

A CAR ACCIDENT
DOPRAVNÍ NEHODA

What happened?	**Co se stalo?**	*[tso se stalo]*
We've had a car accident.	**Měli jsme nehodu.**	*[mn^{y}eli ysme nehodoo]*
Help me, please.	**Pomozte mi.**	*[pomoste mi]*
Is anybody injured?	**Je někdo raněn?**	*[ye n^{y}egdo ran^{y}en]*
Just lie quietly.	**Zůstaňte klidně ležet.**	*[zōōstan^{y}te klidn^{y}e lezhet]*
This woman is unconscious.	**Tato žena je v bezvědomí.**	*[tato zhena ye v bezvyedomee]*
I'll call ...	**Zavolám ...**	*[zavolahm]*
- the ambulance	**- sanitku**	*[sanitkoo]*
- the doctor	**- lékaře**	*[lehkarzhe]*
- the police	**- policii**	*[politsiyi]*
Is there a telephone around here?	**Je tu někde telefon?**	*[ye too n^{y}egde telefon]*
I have a car breakdown.	**Mám poruchu.**	*[mahm porookhoo]*
A car hit us.	**Nějaký vůz do nás narazil.**	*[n^{y}yakee vōōs do nahs narazil]*
I was not able to brake.	**Nemohla jsem už zabrzdit.**	*[nemohla ysem oosh zabrzd^{y}it]*
There is only a slight damage to the body.	**Vždyť je to jen malé poškození karosérie.**	*[vzhdit^y ye to yen maleh poshkozen^{y}ee karosehriye]*
O.K. Give me your address, please.	**Dobře, dejte mi, prosím, Vaši adresu.**	*[dobrzhe deyte mi proseem vashi adresoo]*
Our insurance companies will sort it out.	**Pojišťovny to vyřeší.**	*[poyisht^{y}ovni to virzheshee]*
The police will certainly clear it up.	**Policie to určitě vyjasní.**	*[politsiye to oorchit^{y}e viyasn^{y}ee]*
Your documents, please!	**Vaše papíry, prosím!**	*[vashe papeeri, proseem]*
Here is my driving licence.	**Tady je můj řidičský průkaz.**	*[tadi ye mōōy rzhid^{y}ichskee prōōkas]*

We will breathalyze you.	**Provedeme dechovou zkoušku na obsah alkoholu.**	*[provedeme dekhovoh skohshkoo na opsakh alkoholoo]*
How did it happen?	**Jak se to stalo?**	*[yak se to stalo]*
Did anybody see the accident?	**Viděl někdo tu nehodu?**	*[vid^{y}el n^{y}egdo too nehodoo]*
Are here any witnesses?	**Jsou tu nějací svědkové?**	*[ysoh too n^{y}eyatsee svyetkoveh]*
My car got into a skid.	**Dostal jsem smyk.**	*[dostal ysem smik]*
I came into collision with a car which was going in the opposite direction.	**Srazil jsem se s vozem, který jel v protisměru.**	*[srazil ysem se s vozem kteree yel v prot^{y}ismn^{y}eroo]*
My tyre blew up.	**Praskla mi pneumatika.**	*[praskla mi pneoomatika]*
My brakes failed.	**Selhaly mi brzdy.**	*[selhali mi brzdi]*
It is not my fault.	**To není moje vina.**	*[to nenee moye vina]*
Could you help us push the car to the shoulder of the road?	**Prosím Vás, pomohl byste nám odtlačit vůz na kraj silnice?**	*[proseem vahs pomohl bis-te nahm ottlachit vōōs na kray siln^{y}itse]*
I was knocked down by a car.	**Srazilo mě auto.**	*[srazilo mn^{y}e aooto]*
The driver drove away.	**Řidič ujel.**	*[rzhid^{y}ich ooyel]*
Do you remember his registration number?	**Pamatujete si jeho poznávací značku?**	*[pamatooyete si yeho poznahvatsee znachkoo]*

A TRAFFIC OFFENCE
DOPRAVNÍ PŘESTUPEK

Car inspection.	**Kontrola vozidla.**	*[kontrola vozidla]*
May I see your passport and valid international driving licence please?	**Můžete mi dát Váš cestovní pas a platný mezinárodní řidičský průkaz, prosím?**	*[mōōzhete mi daht vahsh tsestovn^{y}ee pas a platnee mezinahrodn^{y}ee rzhid^{y}ichskee prōōkas proseem]*

Have you got a medicine chest with you?	**Máte s sebou lékárničku?**	*[mahte seboh lehkahrn^{y}ichkoo]*
You went over the speed limit.	**Jel jste nedovolenou rychlostí.**	*[yel yste nedovolenoh rikhlost^{y}ee]*
Overtaking is not allowed here.	**Zde se nesmí předjíždět.**	*[zde se nesmee przhetyeezhd^{y}et]*
You did not obey the "STOP" sign at the crossing.	**Přehlédl jste značku "STOP" na křižovatce.**	*[przhehlehdl yste znachkoo stop na krzhizhovat-tse]*
You didn't give the way.	**Nedal jste přednost.**	*[nedal ste przhednost]*
It is forbidden to stop on this section of the road.	**Na tomto úseku silnice je zákaz zastavení.**	*[na tomto ōōsekoo siln^{y}itse ye zahkas zastaven^{y}ee]*
Your rear-lights are not working.	**Vaše zadní světla nesvítí.**	*[vashe zadn^{y}ee svyetla nesveet^{y}ee]*
Did you drink anything?	**Pil jste něco?**	*[pil yste n^{y}etso]*
You have to pay a fine.	**Musíte zaplatit pokutu.**	*[mooseete zaplat^{y}it pokootoo]*

TAXI
TAXI

Is there a taxi rank nearby?	**Je tu někde blízko stanoviště taxi?**	*[ye too n^{y}egde bleesko stanovisht^{y}e taksi]*
Are you free?	**Jste volný?**	*[yste volnee]*
How much would you charge for the ride to the airport?	**Kolik by stála cesta na letiště?**	*[kolik bi stahla tsesta na let^{y}isht^{y}e]*
Would you take me ...?	**Zavezl byste mě ...?**	*[zavez^{u}l bis-te mn^{y}e]*
- to the centre	**- do centra**	*[do tsentra]*
- to the railway station	**- na nádraží**	*[na nahdrazhee]*
- to the airport	**- na letiště**	*[na let^{y}isht^{y}e]*
- to this address	**- na tuto adresu**	*[na tooto adresoo]*
Is it far?	**Je to daleko?**	*[ye to daleko]*

Take the shortest way.	**Jeďte nejkratší cestou.**	*[yeť^{y}te neykratshee tsestoh]*
Stop, please, I'll get off here.	**Zastavte, vystoupím tady.**	*[zastafte vistohpeem tadi]*
Drive slowly, I would like to see the town.	**Jeďte pomalu, chtěl bych vidět město.**	*[yeť^{y}te pomaloo khť^{y}el bikh viď^{y}et mn^{y}esto]*
Wait for me, please, I'll be back in ten minutes.	**Počkejte na mne, prosím, za 10 minut jsem zpátky.**	*[pochkeyte na mn^{y}e proseem za deset minoot ysem spahtki]*
Could you help me carry my luggage?	**Pomohl byste mi nést zavazadla?**	*[pomohl bis-te mi nehst zavazadla]*
How much do I owe you?	**Kolik jsem Vám dlužen?**	*[kolik ysem vahm dloozhen]*
Keep the rest.	**Zbytek si nechte.**	*[zbitek si nekhte]*

HITCH-HIKING
AUTOSTOP

Where are you going?	**Kam jedete?**	*[kam yedete]*
Would you give me a lift to ...?	**Vzal byste mě do ...?**	*[vzal bis-te mn^{y}e do]*
Take the rear seat/ back seat.	**Sedněte si dozadu.**	*[sedn^{y}ete si doza-doo]*
Sit next to me.	**Sedněte si vedle mne.**	*[sedn^{y}ete si vedle mn^{y}e]*
Where shall I drop you off?	**Kde Vás mám vysadit?**	*[gde vahs mahm visaď^{y}it]*
Please, drop me off where the road to ... branches off.	**Vysaďte mě tam, kde cesta odbočuje do ...**	*[visaď^{y}te mn^{y}e tam gde tsesta otbochoo-ye do]*
Pull up, I'll get out here.	**Zastavte mi tu.**	*[zastafte mi too]*
I'll take you to ...	**Vezmu Vás až do ...**	*[vezmoo vahs ash do]*
Thank you for the lift.	**Děkuji za svezení.**	*[ď^{y}ekooyi za svezen^{y}ee]*
Happy journey!	**Šťastnou cestu!**	*[shť^{y}astnoh tsestoo]*

ROAD SIGNS
DOPRAVNÍ ZNAČKY

ATTENTION CHILDREN	**POZOR, DĚTI**	*[pozor d^{y}et^{y}i]*
DEAD END STREET	**SLEPÁ ULICE**	*[slepah oolitse]*
DANGER	**NEBEZPEČÍ**	*[nebespechee]*
DANGEROUS ROAD SECTION	**NEBEZPEČNÝ ÚSEK**	*[nebespechnee ōōsek]*
DETOUR	**OBJÍŽĎKA**	*[obyeesht^{y}ka]*
ENTRANCE	**VJEZD**	*[vyest]*
EXIT	**VÝJEZD**	*[veeyest]*
FIRST AID	**PRVNÍ POMOC**	*[prvn^{y}ee pomots]*
OVERPASS	**NADCHOD**	*[natkhot]*
GIVE WAY	**DEJ PŘEDNOST V JÍZDĚ**	*[dey przhednost v yeezd^{y}e]*
ICY ROAD	**NÁLEDÍ**	*[nahled^{y}ee]*
KEEP RIGHT	**JEĎTE VPRAVO**	*[yet^{y}te fpravo]*
MOTORWAY	**DÁLNICE**	*[dahln^{y}itse]*
NARROW ROAD	**ZÚŽENÁ VOZOVKA**	*[zōōzhenah vozofka]*
DO NOT ENTER	**ZÁKAZ VJEZDU**	*[zahkas vyezdoo]*
NO LEFT/ RIGHT TURN	**ZÁKAZ ODBOČENÍ VLEVO/ VPRAVO**	*[zahkas otbochen^{y}ee vlevo/ fpravo]*
NO OVERTAKING	**ZÁKAZ PŘEDJÍŽDĚNÍ**	*[zahkas przhetyeesh-d^{y}en^{y}ee]*
NO PARKING	**ZÁKAZ PARKOVÁNÍ**	*[zahkas parkovahn^{y}ee]*
NO STOPPING	**ZÁKAZ ZASTAVENÍ**	*[zahkas zastaven^{y}ee]*
NO THROUGH-FARE	**PRŮJEZD ZAKÁZÁN**	*[prōōyest zakahzahn]*
ONE-WAY TRAFFIC	**JEDNOSMĚRNÝ PROVOZ**	*[yednosmn^{y}ernee provos]*
RAILROAD	**ŽELEZNIČNÍ PŘEJEZD**	*[zhelezn^{y}ichn^{y}ee przheyest]*
SPEED LIMIT	**OMEZENÁ RYCHLOST**	*[omezenah rikhlost]*
ZEBRA CROSSING	**PŘECHOD PRO CHODCE**	*[przhekhot pro khottse]*

TRAVELLING BY TRAIN
CESTOVÁNÍ VLAKEM

Excuse me, how can I get to the railway station?	**Promiňte, jak se dostanu na nádraží?**	*[promin'te yak se dostanoo na nahdrazhee]*
Which railway station do trains to London depart from?	**Ze kterého nádraží jedou vlaky do Londýna?**	*[ze kistereh-ho nahdrazhee yedoh vlaki do londeena]*
Where is ...?	**Kde je ...?**	*[gde ye]*
- a booking office	**- výdejna jízdenek**	*[veedeyna yeezdenek]*
- an exchange office	**- směnárna**	*[smn'enahrna]*
- a left luggage office	**- úschovna zavazadel**	*[ōōskhovna zavazadel]*
- a lost-property office	**- ztráty a nálezy**	*[strahti a nahlezi]*
- a locker	**- skříňka na zavazadla**	*[skrzheen'ka na zavazadla]*
- information	**- informace**	*[informatse]*
- a platform	**- nástupiště**	*[nahstoopisht'e]*
- a reserved seats office	**- pokladna pro rezervaci**	*[pokladna pro rezervatsi]*
- some refreshments	**- občerstvení**	*[opcherstven'ee]*
- a waiting room	**- čekárna**	*[chekahrna]*

INFORMATION
INFORMACE

Where is the inquiry office?	**Kde jsou vlakové informace?**	*[gde ysoh vlakoveh informatse]*
What time does the express to London leave?	**Kdy jede rychlík do Londýna?**	*[gdi yede rikhleek do londeena]*
Departure of the London express is scheduled for two p.m.	**Expres do Londýna odjíždí ve dvě hodiny odpoledne.**	*[ekspres do londeena otyeezhd'ee ve dvye hod'ini otpoledne]*

Is it a direct train?	**Je to přímý vlak?**	*[ye to przheemee vlak]*
When does the first train leave for Prague?	**Kdy jede první ranní vlak do Prahy?**	*[gdi yede prvn^{y}ee ran^{y}ee vlak do prahi]*
When is the last train back to ...?	**Kdy jede poslední vlak zpět do ...?**	*[gdi yede posledn^{y}ee vlak sp^{y}et do]*
Is it express or passenger train?	**Je to rychlík nebo osobní vlak?**	*[ye to rikhleek nebo osobn^{y}ee vlak]*
Where shall I change?	**Kde mám přestupovat?**	*[gde mahm przhes-toopovat]*
How long must we wait there?	**Jak dlouho se tam musí čekat?**	*[yak dloh-ho se tam moosee chekat]*
Is there a restaurant car on the train?	**Má vlak jídelní vůz?**	*[mah vlak yeedeln^{y}ee vōōs]*
Are there couchette cars/ sleeping cars on the train?	**Má vlak lehátkové/ lůžkové vozy?**	*[mah vlak lehahtko-veh/ lōōshkoveh vozi]*
When does the train from Prague arrive?	**Kdy má přijet vlak z Prahy?**	*[gdi mah przhiyet vlak s prahi]*
When does the train leave Brno?	**Kdy má odjet vlak do Brna?**	*[gdi mah otyet vlak do brna]*
Which platform does the train to London leave from?	**Z kterého nástu-piště odjíždí vlak do Londýna?**	*[s ktereh-ho nahstoo-pisht^{y}e otyeezhd^{y}ee vlak do londeene]*
How long do we have to wait for the Ostrava connection?	**Jak dlouho musíme čekat na přípoj do Ostravy?**	*[yak dloh-ho moosee-me chekat na przhee-poy do ostravi]*
Does this train connect with the express to ...?	**Má tento vlak přípoj na IC-rychlík do ...?**	*[mah tento vlak przheepoy na itseh-rikhleek do]*
No, the train hasn't got any connection.	**Ne, nemá přípoj.**	*[ne nemah przhee-poy]*
Is the train running on time?	**Jede ten vlak na čas?**	*[yede ten vlak na chas]*
The train from London is ten minutes delayed.	**Vlak z Londýna má zpoždění 10 minut.**	*[vlak s londeena mah spozhd^{y}en^{y}ee deset minoot]*

Have I got a connection right away to ...?	**Mám hned spojení do ...?**	*[mahm hnet spoje-n'ee do]*
When does the train to Brno come in?	**Kdy přijede vlak do Brna?**	*[gdi przhiyede vlak do brna]*
How long does it take to get to Prague by train?	**Jak dlouho to trvá vlakem do Prahy?**	*[yak dloh-ho to trvah vlakem do prahi]*
Excuse me, I'd like to have a look at the timetable.	**Chtěla bych se podívat do jízdního řádu.**	*[kht'ela bikh se po-d'eevat do yeezd-n'eeho rzhahdoo]*

TICKETS
JÍZDENKY

Where can I get/ buy tickets, please?	**Kde se prodávají jízdenky?**	*[gde se prodahvayee yeezdenki]*
The booking/ ticket office is closed/ open.	**Pokladna je zavře-na/ otevřena.**	*[pokladna ye zav-rzhena/ otevrzhena]*
You can use the ticket machine.	**Můžete použít automat na lístky.**	*[mōōzhete po-oozheet aootomat na leestki]*
I'd like ... to Ostrava.	**Prosím ... do Ostravy.**	*[proseem do ostravi]*
- a first class single ticket	**- jednu jízdenku I. třídy**	*[yednoo yeezdenkoo prvn'ee trzheedi]*
- two second class single tickets	**- dvě jízdenky II. třídy**	*[dvye yeezdenki drooheh trzheedi]*
- two return tickets	**- dvě zpáteční jízdenky**	*[dvye spahtechn'ee yeezdenki]*
- a single ticket and seat reservation for the first class	**- jízdenku s místenkou do I. třídy**	*[yeezdenkoo s meestenkoh do prvn'ee trzheedi]*
- one children's ticket	**- jeden dětský lístek**	*[yeden d'etskee leestek]*
Do you want a return ticket?	**Chcete zpáteční jízdenku?**	*[khtsete spahtech-n'ee yeezdenkoo]*
How much is a single ticket to ...?	**Kolik stojí jízdenka do ...?**	*[kolik stoyee yeezdenka do]*

I would like to take the suitcase as registered/ checked baggage.	**Chtěl bych podat kufr jako spoluzavazadlo.**	*[kht^{y}el bikh podat koofr yako spoloo-zavazadlo]*
When would you like to go?	**Kdy chcete jet?**	*[gdi khtsete yet]*
- now	**- hned**	*[hnet]*
- by the next train	**- příštím vlakem**	*[przheesht^{y}eem vlakem]*
- in the morning	**- dopoledne**	*[dopoledne]*
- in the afternoon	**- odpoledne**	*[otpoledne]*
- in the evening	**- večer**	*[vecher]*
- at night	**- v noci**	*[v notsi]*
- tomorrow	**- zítra**	*[zeetra]*
- with the express number 500	**- rychlíkem číslo 500**	*[rikhleekem chees-lo pyetset]*
I would like to book ...	**Chtěl bych si rezervovat ...**	*[kht^{y}el bikh si rezervovat]*
- an aisle seat	**- místo u dveří**	*[meesto oo dverzhee]*
- a seat at the window	**- místo u okna**	*[meesto oo okna]*
- a seat facing forward	**- místo ve směru jízdy**	*[meesto ve smn^{y}eroo yeezdi]*
- a seat facing backward	**- místo v proti-směru**	*[meesto v prot^{y}i-smn^{y}eroo]*
- a seat in a smoking compart-ment/ a non-smo-king compartment	**- místo v oddělení pro kuřáky/ pro nekuřáky**	*[meesto v otd^{y}ele-n^{y}ee pro koorzhahki/ pro nekoorzhahki]*
- a seat in the first/ second class	**- místo v I./ ve II. třídě**	*[meesto v prvn^{y}ee/ ve drooheh trzheed^{y}e]*
- an upper berth	**- horní lůžko**	*[horn^{y}ee lōōshko]*
- a couchette	**- lehátko**	*[lehahtko]*
Which compartment have I the seat-reser-vation ticket for?	**Do kterého vagónu mám místenku?**	*[do ktereh-ho vagō-noo mahm meesten-koo]*
Is there any discount for children?	**Je nějaká sleva pro děti?**	*[ye n^{y}eyakah sleva pro d^{y}et^{y}i]*

ON THE PLATFORM
NA NÁSTUPIŠTI

Which platform does the train from Prague arrive at?	**Na které nástupiště přijede vlak z Prahy?**	*[na ktereh nahstoo-pisht^{y}e przhiyede vlak s prahi]*
Which rail does the Prague train leave from?	**Ze které koleje odjíždí vlak do Prahy?**	*[ze ktereh koleye otyeezhd^{y}ee vlak do prahi]*
Is this the right train to London?	**Je to vlak do Londýna?**	*[ye to vlak do londeena]*
Where are the direct coaches to ...?	**Kde jsou přímé vozy do ...?**	*[gde ysoh przhee-meh vozi do]*
- in the front	**- vpředu**	*[fprzhedoo]*
- at the back	**- vzadu**	*[vzadoo]*
- in the middle	**- uprostřed**	*[ooprostrzhet]*
The train leaves in ten minutes.	**Vlak jede za 10 minut.**	*[vlak yede za deset minoot]*
Please, take my luggage to ...	**Zaneste mé kufry do ...**	*[zaneste meh koofri do]*
- to the left luggage office	**- úschovny**	*[ōōskhovni]*
- to the coach number two	**- vagonu číslo 2**	*[vagonoo cheeslo dvye]*
I've missed the train.	**Vlak mi ujel.**	*[vlak mi ooyel]*
When is the next train to Olomouc?	**Kdy mi jede další vlak do Olomouce?**	*[gdi mi yede dalshee vlak do olomohtse]*
How long does the train stop here?	**Jak dlouho tu vlak stojí?**	*[yak dloh-ho too vlak stoyee]*

ON THE TRAIN
VE VLAKU

Is this a smoking compartment?	**Je to oddělení pro kuřáky?**	*[ye to otd^{y}elen^{y}ee pro koorzhahki]*
No, this is a non-smoking compartment.	**Ne, to je oddělení pro nekuřáky.**	*[ne to ye otd^{y}ele-n^{y}ee pro nekoo-rzhaki]*

Excuse me, is this seat free? **Je toto místo volné?** *[ye toto meesto volneh]*

No, all seats are taken. **Ne, všechna místa jsou obsazena.** *[ne fshekhna meesta ysoh opsazena]*

Excuse me, is the seat at the window taken? **Promiňte, je to místo u okna obsazeno?** *[promin^{y}te ye to meesto oo okna opsazeno]*

Unfortunately it is taken. **Bohužel je obsazené.** *[bohoozhel ye opsazeneh]*

This is my seat. **Toto je moje místo.** *[toto ye moye meesto]*

I have the reservation ticket. **Mám místenku.** *[mahm meestenkoo]*

Would you mind changing seats with me? **Nechcete si se mnou vyměnit místo?** *[nekhtsete si se mnoh vimn^{y}en^{y}it meesto]*

Would you be so kind and keep the seat for me? **Mohla byste mi podržet místo?** *[mohla bis-te mi podrzhet meesto]*

Excuse me, could you help me lift up my luggage on the rack? **Prosím Vás, pomohl byste mi zvednout zavazadla nahoru?** *[proseem vahs pomohl bis-te mi zvednoht zavazadla nahoroo]*

May I put your suitcase aside a little bit? **Mohu dát Váš kufr kousek dál?** *[mohoo daht vahsh koofr kohsek dah^{u}l]*

May I ...? **Můžu ...?** *[mōōzhoo]*

- open/ close the window **- otevřít/ zavřít okno** *[otevrzheet/ zavrzheet okno]*
- turn the light on **- rozsvítit světlo** *[rosveet^{y}it svyetlo]*
- draw the curtain **- zatáhnout záclonku** *[zatah-hnoht zahtslonkoo]*
- open the door for a while **- na chvíli otevřít dveře** *[na khveeli otevrzheet dverzhe]*

Where is the restaurant car? **Kde je jídelní vůz?** *[gde ye yeedeln^{y}ee vōōs]*

It is the fourth coach towards the front. **Je to čtvrtý vagón dopředu.** *[ye to chtvrtee vagōn doprzhedoo]*

What time do they start to serve lunch? **V kolik hodin podávají oběd?** *[v kolik hod^{y}in podahvayee obyet]*

The tray service is possible. **Je možné servírovat v kupé.** *[ye mozhneh serveerovat v koopeh]*

TICKET INSPECTION
KONTROLA JÍZDENEK

Your tickets, please!	**Jízdenky, prosím!**	*[yeezdenki proseem]*
Did anybody get on?	**Přistoupil někdo?**	*[przhistohpil n^{y}egdo]*
What station is this?	**Jak se jmenuje tato stanice?**	*[yak se ymenooye tato stan^{y}itse]*
When do we arrive in ...?	**Kdy budeme v ...?**	*[gdi boodeme v]*
Does this train stop at ...?	**Stojí tento vlak v ...?**	*[stoyee tento vlak v]*
Conductor, has the train a direct connection to London?	**Pane průvodčí, je na tento vlak přípoj do Londýna?**	*[pane prōōvotchee ye na tento vlak przheepoy do londeena]*
You must be in a hurry while you get off, because the Prague train departs immediately.	**Musíte si při přestupování pospíšit, neboť vlak do Prahy hned odjíždí.**	*[mooseete si przhi przhestoopovahn^{y}ee pospeeshit nebot^y vlak do prahi hnet otyeezhd^{y}ee]*
Where shall I change?	**Kde mám přestoupit?**	*[gde mahm przhestohpit]*
What's the next station call?	**Jak se jmenuje příští stanice?**	*[yak se ymenooye przheesht^{y}ee stan^{y}itse]*
What's the name of the last station before ...?	**Jak se jmenuje poslední stanice před ...?**	*[yak se ymenooye posledn^{y}ee stan^{y}itse przhet]*
Are we late?	**Máme zpoždění?**	*[mahme spozhd^{y}en^{y}ee]*
Are we on time?	**Jedeme přesně?**	*[yedeme przhesn^{y}e]*

LEFT LUGGAGE OFFICE / BAGGAGE STORAGE
ÚSCHOVNA ZAVAZADEL

Where is the left luggage office?	**Kde je úschovna zavazadel?**	*[gde ye ōōskhovna zavazadel]*
I'd like to leave here two suitcases till tomorrow.	**Rád bych si tu do zítřka nechal dva kufry.**	*[raht bikh si too do zeetrzhka nekhal dva koofri]*

How much is it?	**Kolik platím?**	*[kolik plat^yeem]*
Do I pay now or when I pick them up?	**Platím teď nebo až při vyzvednutí?**	*[plat^yeem tet^y nebo ash przhi vizved-noot^yee]*
You'll pay now.	**Budete platit hned.**	*[boodete plat^yit hnet]*
Here is your receipt.	**Tady je Váš lístek.**	*[tadi ye vahsh leestek]*
The maximum weight of the luggage is fifteen kilograms.	**Zavazadlo smí vážit maximálně 15 kg.**	*[zavazadlo smee vahzhit maksimah-ln^ye patnahtst kilo-gramōō]*
This isn't my suitcase.	**To není můj kufr.**	*[to nen^yee mōōy koofr]*
My suitcase is ...	**Můj kufr je ...**	*[mōōy koofr ye]*
- bigger/ smaller	**- větší/ menší**	*[vyetshee/ menshee]*
- black/ brown	**- černý/ hnědý**	*[chernee/ hn^yedee]*
I have number ...	**Mám číslo ...**	*[mahm cheeslo]*
I have lost my briefcase.	**Ztratil se mi kufřík.**	*[strat^yil se mi koofrzheek]*
My ... is missing.	**Moje ... chybí.**	*[moye khybee]*
- briefcase	**- aktovka**	*[aktofka]*
- bag	**- cestovní taška**	*[tsestovn^yee tashka]*
- handbag	**- kabelka**	*[kabelka]*
- luggage	**- zavazadlo**	*[zavazadlo]*
locker	**skříňka na zavazadla**	*[skrzheen^yka na zavazadla]*
Put your luggage in.	**Vložte zavazadlo.**	*[vloshte zavazadlo]*
Take out the key.	**Vytáhněte klíč.**	*[vitah-hn^yete kleech]*
If the box is damaged, press the button.	**Je-li skříňka poškozena, stiskněte tlačítko.**	*[ye-li skrzheen^yka poshkozena stiskn^ye-te tlacheetko]*
Turn the key right/ left.	**Otočte klíčem vpravo/ vlevo.**	*[otochte kleechem fpravo/ vlevo]*
Enter your code number and memorize it.	**Nastavte svůj číselný kód a zapamatujte si ho.**	*[nastafte svōōy chee-selnee kōt a zapama-tooyte si ho]*
Choose the number.	**Volte číslo.**	*[volte cheeslo]*
Insert the coin into the slot.	**Vhoďte peníze do otvoru.**	*[vhot^yte pen^yeeze do otvoroo]*
Out of order.	**Mimo provoz.**	*[mimo provos]*

INFORMATION AND WARNING SIGNS
INFORMAČNÍ NÁPISY A VÝSTRAHY

ARRIVALS	**PŘÍJEZDY**	*[przheeyezdi]*
BOOKING OFFICE	**JÍZDENKOVÁ POKLADNA**	*[yeezdenkovah pokladna]*
COMMUNICATION CORD	**ZÁCHRANNÁ BRZDA**	*[zahkhranah brzda]*
CLOSE THE DOOR!	**ZAVŘETE DVEŘE!**	*[zavrzhete dverzhe]*
CROSSING THE RAILS IS FORBIDDEN	**PŘECHOD PŘES KOLEJE ZAKÁZÁN**	*[przhekhot przhes koleye zakahzahn]*
DEPARTURES	**ODJEZDY**	*[otyezdi]*
DO NOT LEAN OUT OF THE WINDOW!	**NENAHÝBEJTE SE Z OKNA!**	*[nenaheebeyte se s okna]*
ENTRANCE	**VCHOD**	*[vkhot]*
EXIT	**VÝCHOD**	*[veechot]*
INFORMATION	**INFORMACE**	*[informatse]*
KEEP THE PLACE IN ORDER!	**DODRŽUJTE ČISTOTU!**	*[dodrzhooyte chistotoo]*
LEFT-LUGGAGE OFFICE	**ÚSCHOVNA ZAVAZADEL**	*[ōōskhovna zavazadel]*
NON-SMOKING COMPARTMENT	**ODDĚLENÍ PRO NEKUŘÁKY**	*[otdʸelenʸee pro nekoorzhahki]*
PENALTY FOR IMPROPER USE	**ZNEUŽITÍ SE TRESTÁ**	*[zneoozhitʸee se trestah]*
PLATFORM	**NÁSTUPIŠTĚ**	*[nahstoopishtʸe]*
RAILWAY STATION	**NÁDRAŽÍ**	*[nahdrazhee]*
SEAT-RESERVATION TICKETS	**MÍSTENKY**	*[meestenki]*
SMOKING COMPARTMENT	**ODDĚLENÍ PRO KUŘÁKY**	*[otdʸelenʸee pro koorzhahki]*
SUBWAY	**PODCHOD**	*[potkhot]*
TERMINUS	**KONEČNÁ STANICE**	*[konechnah stanitse]*
WAITING ROOM	**ČEKÁRNA**	*[chekahrna]*

TRAVELLING BY PLANE
CESTOVÁNÍ LETADLEM

How do I get to the departure hall?	**Promiňte, prosím, jak se dostanu do odletové haly?**	*[promin^{y}te proseem yak se dostanoo do otletoveh hali]*
Go straight, follow this sign.	**Jděte přímo, po této značce.**	*[yd^{y}ete przheemo po tehto znachtse]*

FLIGHT INFORMATION
INFORMACE O LETU

Is there a flight to Prague?	**Je možné letět do Prahy?**	*[ye mozhneh let^{y}et do prahi]*
What's the flight number?	**Jaké je číslo letu?**	*[yakeh ye cheeslo letoo]*
What days do the British Airlines operate services to ...?	**Které dny létají Britské aerolinie do ...?**	*[ktereh dni lehtayee britskeh aeroliniye do]*
Is it a direct flight?	**Je to přímý let?**	*[ye to przheemee let]*
Is there any stopover?	**Je to s mezipřistáním?**	*[ye to s meziprzhistahn^{y}im]*
How long does the flight to ... take?	**Jak dlouho trvá let do ...?**	*[yak dloh-ho trvah let do]*
What time does the plane arrive in London?	**Kdy letadlo přiletí do Londýna?**	*[gdi letadlo przhilet^{y}ee do londeena]*
At ten o'clock of the local time.	**V deset hodin místního času.**	*[v deset hod^{y}in meestn^{y}eeho chasoo]*
Does the flight connect with the flight to ...?	**Je letecké spojení s ...?**	*[ye letetskeh spoyen^{y}ee s]*
Flight number ... to ... will be delayed for two hours due to bad weather.	**Let číslo ... do ... bude z důvodu špatného počasí o dvě hodiny opožděn.**	*[let cheeslo do boode s dōōvodoo shpatneho pocha-see o dvye hod^{y}ini opozhd^{y}en]*

BOOKING AIR-TICKETS
REZERVACE LETENEK

I would like to book two seats on the Prague plane ...	**Chtěl bych si rezervovat 2 místa v letadle do Prahy ...**	*[kht^yel bikh si rezervovat dvye meesta v letadle do prahi]*
- for next Monday	**- na příští pondělí**	*[na przheesht^yee pond^yelee]*
- morning at six	**- v 6 hodin ráno**	*[v shest hod^yin rahno]*
I'd like to book my return ticket at once.	**Chtěla bych si zároveň rezervovat i letenku zpět.**	*[kht^yela bikh si zahroven^y rezervovat i letenkoo spyet]*
How much is ... ticket?	**Kolik stojí letenka ...?**	*[kolik stoyee letenka]*
- a tourist class	**- turistickou třídou**	*[tooristitskoh trzheedoh]*
- a first class	**- první třídy**	*[prvn^yee trzheedi]*
I would like one economy class ticket to London.	**Prosím jeden lístek turistické třídy do Londýna.**	*[proseem yeden leestek tooristitskeh trzheedi do londeena]*
I'm sorry, but the flight to ... is fully booked.	**Lituji, ale let do ... je plně obsazen.**	*[litooyi ale let do ye pln^ye opsazen]*
Have you still got a seat on today's flight?	**Máte ještě volná místa na dnešek?**	*[mahte yesht^ye volnah meesta na dneshek]*
It is better to reserve the air ticket in advance.	**Je lépe si obstarat letenku předem.**	*[ye lehpe si opstarat letenkoo przhedem]*
Can you cancel/ confirm my reservation?	**Můžete zrušit/ potvrdit moji rezervaci?**	*[mōōzhete zrooshit/ potvrd^yit moyi rezervatsi]*
What time should I be at the airport?	**V kolik hodin musím být na letišti?**	*[v kolik hod^yin mooseem beet na let^yisht^yi]*
How much is the cancellation charge?	**Jak vysoký je poplatek za zrušení letu?**	*[yak visokee ye poplatek za zrooshen^yee letoo]*

CHECK IN
ODBAVENÍ

Check-in counter.	**Odbavovací přepážka.**	*[otbavovatsee przhepahshka]*
Have you got any luggage?	**Máte zavazadla?**	*[mahte zavazadla]*
What's the allowed weight for luggage?	**Jaká je povolená váha zavazadla?**	*[yakah ye povolenah vah-ha zavazadla]*
What's the charge for excess weight?	**Kolik se platí za nadváhu?**	*[kolik se plat^{y}ee za natvah-hoo]*
You have five kilograms overweight.	**Máte pět kilo nadváhy.**	*[mahte pyet kilo natvah-hi]*
You have to pay an excess charge.	**Musíte si připlatit.**	*[mooseete si przhiplat^{y}it]*
Here is your boarding card.	**Tady máte Vaši palubní vstupenku.**	*[tadi mahte vashi paloobn^{y}ee fstoopenkoo]*

ON THE PLANE
V LETADLE

Good morning, ladies and gentlemen, captain Black and his crew welcome you on board of the plane on behalf of the British Airways.	**Dobré ráno, dámy a pánové, na palubě letadla Vás jménem Britských aerolinií vítá kapitán Black s posádkou.**	*[dobreh rahno dahmi a pahnoveh na paloo-bye letadla vahs ymehnem britskeekh aeroliniyee veeta kapitahn blek s posahtkoh]*
Passengers are requested to stop smoking and fasten seat belts.	**Žádáme cestující, aby přestali kouřit a připoutali se.**	*[zhahdahme tsestooyeetsee abi przhestali kohrzhit a przhipohtali se]*
Fasten your seat belts, please.	**Připoutejte se, prosím.**	*[przhipohteyte se proseem]*
Keep your seats, please, until the doors open.	**Zůstaňte, prosím, sedět, dokud se neotevřou dveře.**	*[zōōstan^{y}te proseem sed^{y}et dokut se neotevrzhoh dverzhe]*

AFTER ARRIVAL
PO PŘÍLETU

When is the next flight?	**Kdy letí další letadlo?**	*[gdi let^{y}ee dalshee letadlo]*
Should I show you my passport?	**Mám předložit pas?**	*[mahm przhetlozhit pas]*
Where is the lounge for transit passengers?	**Kde je místnost pro cestující tranzitem?**	*[gde ye meestnost pro tsestooyeetsee tranzitem]*
How long do we have to wait for the Prague plane?	**Jak dlouho musíme čekat na spojení do Prahy?**	*[yak dloh-ho mooseeme chekat na spoyen^{y}ee do prahi]*

INFORMATION SIGNS
INFORMAČNÍ NÁPISY

ARRIVAL HALL	**PŘÍLETOVÁ HALA**	*[przheeletovah hala]*
BAGGAGE CHECK	**VÝDEJ ZAVAZADEL**	*[veedey zavazadel]*
CANCELLED	**ZRUŠEN**	*[zrooshen]*
CHECK IN	**ODBAVENÍ**	*[otbaven^{y}ee]*
CLASS	**TŘÍDA**	*[trzheeda]*
CUSTOMS	**CELNICE**	*[tseln^{y}itse]*
DATE OF FLIGHT	**DATUM LETU**	*[datoom letoo]*
DELAYED	**ZPOŽDĚN**	*[spozhd^{y}en]*
DEPARTURES	**ODLETY**	*[otleti]*
DEPARTURE HALL	**ODLETOVÁ HALA**	*[otletovah hala]*
DUE TO BAD WEATHER	**PRO NEPŘÍZEŇ POČASÍ**	*[pro neprzheezen^{y} pochasee]*
ENTRANCE	**VCHOD**	*[fkhot]*
EXCHANGE OFFICE	**SMĚNÁRNA**	*[smn^{y}enahrna]*
EXIT	**VÝCHOD**	*[veekhot]*
FLIGHT NUMBER	**ČÍSLO LETU**	*[cheeslo letoo]*
FLIGHT INFORMATION BOARD	**TABULE S LETECKÝM ŘÁDEM**	*[taboole s letetskeem rzhahdem]*
TRANSIT HALL	**TRANZITNÍ HALA**	*[tranzitn^{y}ee hala]*

TRAVELLING BY SHIP
CESTOVÁNÍ LODÍ

Where can I get tickets?	**Kde se kupují jízdenky?**	*[gde se koopooyee yeezdenki]*
On the deck.	**Na palubě.**	*[na paloobye]*
What time do I have to be aboard?	**V kolik hodin musím být na palubě?**	*[v kolik hod^{y}in mooseem beet na paloobye]*
How long is the ticket valid for?	**Jak dlouho platí lístek?**	*[yak dloh-ho plat^{y}ee leestek]*
What day does the ship sail to ...?	**Který den od-plouvá loď do ...?**	*[kteree den otploh-vah lot^y do]*
Does this ferry go every day?	**Jezdí tento trajekt každý den?**	*[yezd^{y}ee tento trayekt kazhdee den]*
Ferries go ...	**Trajekty jezdí ...**	*[trayekti yezd^{y}ee]*
- twice a day	**- dvakrát denně**	*[dvakraht den^{y}e]*
- each morning	**- každé ráno**	*[kashdeh rahno]*
- every four hours	**- každé čtyři hodiny**	*[kashdeh chtirzhi hod^{y}ini]*
Due to bad weather any further passage is cancelled.	**Pro nepřízeň počasí se další plavba ruší.**	*[pro neprzheezen^y pochasee se dalshee plafba rooshee]*
From which pier does the ship sail for ...?	**Ze kterého mola odplouvá loď do ...?**	*[ze ktereh-ho mola otplohvah lot^y do]*
The ferry to ... is anchored at pier n.3.	**Loď do ... kotví u mola číslo 3.**	*[lot^y do kotvee oo mola cheeslo trzhee]*
We'd like to go by a steamer.	**Rádi bychom jeli parníkem.**	*[rahd^{y}i bikhom yeli parn^{y}eekem]*
How much is the fare to ...?	**Kolik stojí plavba do ...?**	*[kolik stoyee plafba do]*
How long does the passage take?	**Jak dlouho trvá plavba?**	*[yak dloh-ho trvah plafba]*
Where is the embarkation point?	**Kde se nalodíme?**	*[gde se nalod^{y}eeme]*
Which ports do we stop at?	**Ve kterých přísta-vech zastavujeme?**	*[ve ktereekh przheesta-vekh zastavooyeme]*

We would like to make reservations for two on the ferry to ... which leaves this Saturday at nine o'clock.	**Rezervovala byste nám dvě místa na tuto sobotu na lodi do ... odplouvající v 9.00 hodin?**	*[rezervovala bis-te nahm dvye meesta na tooto sobotoo na loďi do otplohvayeetsee v devyet hoďin]*
A ship ...	**Loď ...**	*[loťʸ]*
- is at an anchor	**- kotví**	*[kotvee]*
- weighs an anchor	**- zdvihá kotvu**	*[zdvihah kotvoo]*
- drops an anchor	**- spouští kotvu**	*[spohshtʸee kotvoo]*
- sets sail	**- vyplouvá na moře**	*[viplohvah na morzhe]*

ON THE BOAT
NA LODI

Excuse me, where is ...?	**Prosím Vás, kde je ...?**	*[proseem vahs, gde ye]*
- the dining room	**- jídelna**	*[yeedelna]*
- the lounge	**- společenská místnost**	*[spolechenskah meestnost]*
- a ship doctor	**- lodní lékař**	*[lodnʸee lehkarzh]*
- smoking lounge	**- kuřácký salonek**	*[koorzhahtskee salonek]*
- cabin number 5	**- kajuta číslo 5**	*[kayoota cheeslo pyet]*
I am seasick.	**Mám mořskou nemoc.**	*[mahm morzhskoh nemots]*
I will vomit.	**Budu zvracet.**	*[boodoo zvratset]*
Have you got any medicine for seasickness?	**Máte nějaký lék proti mořské nemoci?**	*[mahte nʸeyakee lehk proťʸi morzhskeh nemotsi]*
Don't lean over the railing.	**Nenahýbejte se přes zábradlí.**	*[nenaheebeyte se przhes zahbradlee]*
The sea is ...	**Moře je ...**	*[morzhe ye]*
- calm	**- klidné**	*[klidneh]*
- stormy	**- rozbouřené**	*[rozbohrzheneh]*
There are big waves on the sea.	**Na moři jsou velké vlny.**	*[na morzhi ysoh velkeh vlni]*

TRAVELLING BY LOCAL TRANSPORT
CESTOVÁNÍ MĚSTSKOU DOPRAVOU

Where is the nearest bus/ tramway/ underground station?	**Kde je nejbližší stanice autobusu/ tramvaje/ metra?**	*[gde ye neyblishee sta-nitse aootoboosoo/ tramvaye/ metra]*
Where does the bus to ... stop?	**Kde staví autobus do ...?**	*[gde stavee aootoboos do]*
Which bus do I take to the National theatre?	**Který autobus jede k Národnímu divadlu?**	*[kteree aootoboos yede k nahrodn^{y}eemoo d^{y}ivadloo]*
Do I have to change?	**Musím přestupovat?**	*[mooseem przhestoopovat]*
Does the number 7 bus stop here?	**Staví tu autobus č. 7?**	*[stavee too aootoboos cheslo sedoom]*
What time does it leave?	**V kolik hodin odjíždí?**	*[v kolik hod^{y}in otyeezhd^{y}ee]*
Does this tramway go to the theatre?	**Jede tato tramvaj k divadlu?**	*[yede tato tramvay k d^{y}ivadloo]*
You have to go in the opposite direction.	**Musíte jet opačným směrem.**	*[mooseete yet opachneem smn^{y}erem]*
Excuse me, could you tell me the departures?	**Mohl/a byste mi říci odjezdy?**	*[moh^{u}l/a biste mi rzheetsi otyezdi]*
I'll have a look at the timetable.	**Podívám se do jízdního řádu.**	*[pod^{y}eevahm se do yeezdn^{y}eeho rzhahdoo]*
Where can I buy a ticket?	**Kde si můžu koupit lístek?**	*[gde si mōōzhoo kohpit leestek]*
By the driver.	**U řidiče.**	*[oo rzhid^{y}iche]*
At the newsagent's.	**V novinovém stánku.**	*[v novinovehm stahnkoo]*
How much is the ticket?	**Kolik stojí jeden lístek?**	*[kolik stoyee yeden leestek]*

How much is the fare to ...?	**Kolik stojí jízdné do ...?**	*[kolik stoyee yeeydneh do]*
The ticket is valid for London buses, tube/ subway and trains.	**Lístek platí pro londýnské autobusy, metro a vlaky.**	*[leestek plat^{y}ee pro londeenskeh aootoboosi metro a vlaki]*
What shall I do with the ticket?	**Co mám dělat s jízdenkou?**	*[tso mahm d^{y}elat s yeezdenkoh]*
You must validate it.	**Musíte ji označit.**	*[mooseete yi oznachit]*
Excuse me, how many stops are there to the railway station?	**Prosím Vás, kolik je to zastávek na nádraží?**	*[proseem vahs kolik ye to zastahvek na nahdrazhee]*
Will you tell me when to get off?	**Řeknete mi, kdy mám vystoupit?**	*[rzheknete mi, gdi mahm vistohpit]*
Get off here and change for a bus number 22.	**Vystupte si tady a přesedněte na autobus číslo 22.**	*[vistoopte si tadi a przhesedn^{y}ete na aootoboos cheeslo dvatsetdva]*
Where are we now?	**Kde jsme teď?**	*[gde sme tet^y]*
Do you want to get off now?	**Vystupujete?**	*[vistoopooyete]*
I am getting off, too.	**Já také vystupuji.**	*[yah takeh vistoopooyi]*
Press the button to signal the driver that you want to get off.	**Zmáčkněte tlačítko, abyste upozornil řidiče, že chcete vystoupit.**	*[zmah-chkn^{y}ete tlacheetko abiste oopozorn^{y}il rzhid^{y}iche, zhe khtsete vistohpit]*
Night buses run every hour.	**Noční autobusy jezdí každou hodinu.**	*[nochn^{y}ee aootoboosi yezd^{y}ee kashdoh hod^{y}inoo]*
Excuse me, please, how can I get from the railway station to the station "Museum" by tube?	**Prosím Vás, jak se dostanu metrem z vlakového nádraží na stanici metra „Museum"?**	*[proseem vahs, yak se dostanoo metrem s vlakoveh-ho nahdrazhee na stan^{y}itsi metra moozeom]*
Change for the east bound "B" and "Museum" is the first stop.	**Přestupte na východní směr trasy „B" a první zastávka je „Museum".**	*[przhestoopte na veekhodn^{y}ee smn^{y}er trasi "beh" a prvn^{y}ee zastahvka ye "moozeom"]*

TRAVEL AGENCY
CESTOVNÍ KANCELÁŘ

TOURS
OKRUŽNÍ JÍZDY

Can we book a guided coach tour round the town?	**Můžeme si u Vás objednat okružní jízdu městem?**	*[mōōzheme si oo vahs obyednat okroozhn^{y}ee yeezdoo mn^{y}estem]*
Do you also arrange evening tours of the town?	**Pořádáte také noční prohlídky města?**	*[porzhahdahte takeh nochn^{y}ee prohleetki mn^{y}esta]*
How much do you charge for this tour?	**Kolik stojí tento okruh?**	*[kolik stoyee tento okrookh]*
Where does the coach depart from?	**Odkud vyjíždí autobus?**	*[otkoot viyeezhd^{y}ee aootoboos]*
What time does the coach return?	**V kolik hodin je návrat?**	*[v kolik hod^{y}in ye nah-vrat]*

TRIPS
VÝLETY

May I have some brochures with information about your trips?	**Mohu dostat prospekty s informacemi o Vašich výletech?**	*[mohoo dostat prospekti s informatsemi o vashikh veeletekh]*
Do you arrange package tours?	**Pořádáte zájezdy s pevným programem?**	*[porzhahdahte zahyezdi s pevneem programem]*
Do you organize trips to the surroundings?	**Pořádáte výlety do okolí?**	*[porzhahdahte veeleti do okolee]*
How much is the trip to ... per person?	**Kolik stojí výlet do ... pro jednu osobu?**	*[kolik stoyee veelet do pro yednoo osoboo]*

BORDER CROSSING
HRANIČNÍ PŘECHOD

When are we going to be at the border?	**Kdy budeme na hranicích?**	*[gdi boodeme na hran^{y}itseekh]*
Good morning, passport inspection.	**Dobrý den, pasová kontrola.**	*[dobree den paso-vah kontrola]*
Do you speak ...?	**Mluvíte ...?**	*[mlooveete]*
May I see your ... please?	**Váš ... prosím.**	*[vahsh proseem]*
- documents	**- doklady**	*[dokladi]*
- passport	**- cestovní pas**	*[tsestovn^{y}ee pas]*
- driving licence	**- řidičský průkaz**	*[rzhid^{y}ichskee prōōkas]*
- entry visa	**- vstupní vízum**	*[fstoopn^{y}ee veezoom]*
Your passport has expired.	**Máte prošlý pas.**	*[mahte proshlee pas]*
Your passport is not valid.	**Váš pas je neplatný.**	*[vahsh pas ye neplatnee]*
What's the purpose of your visit to Czech Republic?	**Proč jste přijel do České republiky?**	*[proch yste przhiyel do cheskeh repoobliki]*
I'm coming for a holiday.	**Přijíždím na dovolenou.**	*[przhiyeezhd^{y}eem na dovolenoh]*
I'm here on a business trip.	**Jsem tady na služební cestě.**	*[ysem tadi na sloo-zhebn^{y}ee tsest^{y}e]*
Have you ever been to Great Britain?	**Byl jste někdy ve Velké Británii?**	*[bil yste n^{y}egdi ve velkeh britahniyi]*
Are you travelling alone?	**Cestujete sám?**	*[tsestooyete sahm]*
How long are you going to stay here?	**Jak dlouho se zde zdržíte?**	*[yak dloh-ho se zde zdrzheete]*
You have to make a registration at the immigration police.	**Musíte se zaregistrovat na cizinecké policii.**	*[mooseete se zare-gistrovat na tsizinets-keh politsiyi]*
You need a residency permit.	**Potřebujete povolení k pobytu.**	*[potrzhebooyete po-volen^{y}ee k pobitoo]*
Your permit expires in one month.	**Vaše povolení končí za měsíc.**	*[vashe povolen^{y}ee konchee za mn^{y}eseets]*

You've been given the travel visa for six months.	**Bylo Vám uděleno cestovní vízum na šest měsíců.**	*[bilo vahm ood^{y}eleno tsestovn^{y}ee veeyoom na shest mn^{y}eseetsōō]*
You have to apply for an extension.	**Musíte požádat o prodloužení.**	*[mooseete pozhahdat o prodlohzhen^{y}ee]*
Your passport is all right.	**Váš pas je v pořádku.**	*[vash pas ye v porzhahtkoo]*
Have a nice stay in Czech Republic.	**Přeji Vám pěkný pobyt v České republice.**	*[przheyi vahm pyeknee pobit v cheskeh repooblitse]*

CUSTOMS
CELNICE

Customs examination.	**Celní kontrola.**	*[tseln^{y}ee kontrola]*
Do you have anything to declare?	**Máte něco k proclení?**	*[mahte n^{y}etso k protslen^{y}ee]*
I've got only things for personal use.	**Mám jen věci osobní potřeby.**	*[mahm yen vyetsi osobn^{y}ee potrzhebi]*
It is duty-free.	**To je osvobozeno od cla.**	*[to ye osvobozeno ot tsla]*
You have to pay duty.	**Musíte zaplatit clo.**	*[mooseete zaplat^{y}it tslo]*
Have you got any foreign currency?	**Máte nějakou zahraniční měnu?**	*[mahte n^{y}eyakoh zahran^{y}ichn^{y}ee mn^{y}enoo]*
Please open the trunk of your car.	**Otevřete, prosím, zavazadlový prostor.**	*[otevrzhete proseem zavazadlovee prostor]*
Have you got some other luggage?	**Máte ještě další zavazadla?**	*[mahte yesht^{y}e dalshee zavazadla]*
Yes, I've got the handbag.	**Ještě tuto kabelku.**	*[yesht^{y}e tooto kabelkoo]*
This is dutiable article.	**To je podléhající clu.**	*[to ye podleh-hayeetsee tsloo]*
These things cannot be exported.	**To se nesmí vyvážet.**	*[to se nesmee vivahzhet]*
Thank you.	**Děkuji.**	*[d^{y}ekooyi]*

HOTEL
HOTEL

Excuse me, please, can you tell me how can I get to ...?	**Promiňte, prosím, můžete mi říct, jak se dostanu ...?**	*[promin^{y}te proseem mōōzhete mi rzheetst yak se dostanoo]*
Could you recommend us any hotel near the beach?	**Můžete nám doporučit nějaký hotel blízko pláže?**	*[mōōzhete nahm doporoochit dobree hotel bleesko plahzhe]*

RESERVATION
REZERVACE

Is this the booking office of the Jalta hotel?	**Je to rezervační kancelář hotelu Jalta?**	*[ye to rezervachn^{y}ee kantselahrzh hoteloo yalta]*
I'll have a look if we have a vacant room.	**Podívám se, jestli máme volný pokoj.**	*[pod^{y}eevahm se yestli mahme volnee pokoy]*
Would you spell your name, please?	**Můžete, prosím, vyhláskovat Vaše jméno?**	*[mōōzhete proseem vihlahskovat vashe ymehno]*
I'm afraid, but we are fully booked.	**Lituji, máme všechno obsazeno.**	*[litooyi mahme fshekhno opsazeno]*
I have made a reservation by phone/ by post/ in person for a single room in the name of ...	**Telefonicky/ poštou/ osobně jsem si tu objednal jednolůžkový pokoj na jméno ...**	*[telefonitski/ poshtoh/ osobn^{y}e ysem si too obyednal yednolōōshkovee pokoy na ymehno]*
We have a reservation for you for a room on the fourth floor.	**Rezervovali jsme Vám pokoj ve čtvrtém patře.**	*[rezervovali ysme vahm pokoy ve chtvrtehm patrzhe]*
Unfortunately, we are fully booked and we cannot accommodate you.	**Bohužel, jsme plně obsazeni a nemůžeme Vás ubytovat.**	*[bohoozhel ysme pln^{y}e opsazen^{y}i a nemōōzheme vahs oobitovat]*

AT THE RECEPTION DESK
NA RECEPCI

Do you have any rooms available?	**Máte volné pokoje?**	*[mahte volneh pokoye]*
The hotel is full/ fully booked.	**Hotel je plně obsazen.**	*[hotel ye pln^{y}e opsazen]*
NO VACANCIES	**Volné pokoje nejsou.**	*[volneh pokoye neysoh]*
Have you got a vacant room for this night?	**Máte volný pokoj na dnešní noc?**	*[mahte volnee pokoy na dneshn^{y}ee nots]*
I'm afraid, every room is occupied.	**Lituji, máme všechno obsazeno.**	*[litooyi, mahme fshekhno opsazeno]*
What kind of room would you like?	**Jaký pokoj byste si přál?**	*[yakee pokoy bis-te si przhahl]*
I'd like ...	**Chtěl bych ...**	*[kht^{y}el bikh]*
- a single room	**- jednolůžkový pokoj**	*[yednoloōshkovee pokoy]*
- a double room	**- dvoulůžkový pokoj**	*[dvohloōshkovee pokoy]*
- a twin bedded room	**- pokoj se dvěmi oddělenými postelemi**	*[pokoy se dvyemi otd^{y}eleneemi postelemi]*
- a room with an extra bed	**- pokoj s přistýlkou**	*[pokoy s przhisteelkoh]*
- a cheaper room	**- levnější pokoj**	*[levn^{y}eyshee pokoy]*
- a larger room	**- větší pokoj**	*[vyetshee pokoy]*
- a room with a bath	**- pokoj s koupelnou**	*[pokoy s kohpelnoh]*
- a room with a shower	**- pokoj se sprchou**	*[pokoy se sprkhoh]*
- a quiet room	**- klidný pokoj**	*[klidnee pokoy]*
- a room with a balcony	**- pokoj s balkonem**	*[pokoy s balkonem]*
- a suite	**- apartmá**	*[apartmah]*
- adjoining rooms	**- sousedící pokoje**	*[sohsed^{y}eetsee pokoye]*
- communicating rooms	**- propojené pokoje**	*[propoyeneh pokoye]*

How much is it ...?	**Kolik to stojí ...?**	*[kolik to stoyee]*
- for one day	**- na den**	*[na den]*
- for a week	**- na týden**	*[na teeden]*
- per night with breakfast	**- na noc se snídaní**	*[na nots se sn^{y}eedan^{y}ee]*
- excluding meals	**- bez jídla**	*[bes yeedla]*
- for half board	**- s večeří a snídaní**	*[s vecherzhee a sn^{y}eedan^{y}ee]*
Does the price include ...?	**Zahrnuje cena ...?**	*[zahrnooye tsena]*
- breakfast	**- snídani**	*[sn^{y}eedan^{y}ee]*
- service	**- služby**	*[slooshbi]*
- value-added tax (V.A.T.)	**- daň z přidané hodnoty**	*[dan^y s przhidaneh hodnoti]*
How much is bed and breakfast?	**Kolik stojí nocleh se snídaní?**	*[kolik stoyee nots-lekh se sn^{y}eedan^{y}ee]*
Is there any reduction for children?	**Máte slevu pro děti?**	*[mahte slevoo pro d^{y}et^{y}i]*

FILLING IN A FORM
VYPLŇOVÁNÍ FORMULÁŘE

You have to check in/ register.	**Musíte se zapsat.**	*[mooseete se zapsat]*
May I have your passport, please?	**Váš pas, prosím.**	*[vahs pas proseem]*
Would you mind filling in this form?	**Vyplníte, prosím, tento formulář?**	*[vipln^{y}eete proseem tento formoolahrzh]*
Fill in the blanks.	**Vyplňte prázdná místa:**	*[vipln^{y}te prahzdnah meesta]*
NAME	**JMÉNO**	*[ymehno]*
- first name	**- křestní jméno**	*[krzhestn^{y}ee ymehno]*
- surname	**- příjmení**	*[przheeymen^{y}ee]*
BIRTH	**NAROZENÍ**	*[narozen^{y}ee]*
- date of birth	**- datum narození**	*[datoom narozen^{y}ee]*
- place of birth	**- místo narození**	*[meesto narozen^{y}ee]*
PERMANENT ADDRESS	**TRVALÉ BYDLIŠTĚ**	*[trvaleh bidlisht^{y}e]*
- number	**- číslo**	*[cheeslo]*

- street	**- ulice**	*[oolitse]*
- town	**- město**	*[mnʸesto]*
- postcode	**- směrovací číslo**	*[smnʸerovatsee cheeslo]*
- country	**- země**	*[zemnʸe]*
CITIZENSHIP	**STÁTNÍ OBČANSTVÍ**	*[stahtnʸee opchanstvee]*
NATIONALITY	**NÁRODNOST**	*[nahrodnost]*
PASSPORT NUMBER	**ČÍSLO PASU**	*[cheeslo pasoo]*
MARITAL STATUS	**STAV**	*[staf]*
- single	**- svobodná/ý**	*[svobodnah/ee]*
- married	**- vdaná/ ženatý**	*[vdanah/ zhenatee]*
- divorced	**- rozvedená/ý**	*[rozvedenah/ee]*
- widowed	**- ovdovělá/ý**	*[ovdovyelah/ee]*
SEX	**POHLAVÍ**	*[pohlavee]*
- male/ female	**- mužské/ ženské**	*[mooshskeh/ zhenskeh]*
OCCUPATION	**POVOLÁNÍ**	*[povolahnʸee]*
DATE OF ARRIVAL/ DEPARTURE	**DATUM PŘÍJEZDU/ ODJEZDU**	*[datoom przheeyezdoo/ otyezdoo]*
SIGNATURE	**PODPIS**	*[potpis]*

ACCOMMODATION
UBYTOVÁNÍ

May I see the room?	**Mohla bych se na ten pokoj podívat?**	*[mohla bikh se na ten pokoy podʸeevat]*
Of course.	**Samozřejmě.**	*[samozrzheymnʸe]*
I'll take it.	**Vezmu si ho.**	*[vezmoo si ho]*
I don't like it.	**Mně se nelíbí.**	*[mnʸe se neleebee]*
It is too ...	**Je moc ...**	*[ye mots]*
- cold/ warm	**- studený/ teplý**	*[stoodenee/ teplee]*
- dark/ small	**- tmavý/ malý**	*[tmavee/ malee]*
- noisy	**- hlučný**	*[hloochnee]*
I'd like ...	**Chtěl bych ...**	*[khtʸel bikh]*
- a room with the view of the mountains	**- pokoj s vyhlídkou na hory**	*[pokoy s vihleetkoh na hori]*
- a room looking out on the lake	**- pokoj s vyhlídkou na jezero**	*[pokoy s vihleetkoh na yezero]*

I wanted a room with a bathroom.	**Chtěl/a jsem pokoj s koupelnou.**	*[kht'el/a ysem pokoy s kohpelnoh]*
Have you got a cheaper room?	**Máte levnější pokoj?**	*[mahte levn'eyshee pokoy]*
Here is the hotel card and the key.	**Tady máte hotelovou kartu a klíče.**	*[tadi mahte hotelovoh kartoo a kleeche]*
Your room number is 25.	**Máte pokoj číslo 25.**	*[mahte pokoy cheeslo dvatsetpyet]*
Please vacate your room by 10 am.	**Prosím, uvolněte pokoj do 10 hodin.**	*[proseem oovoln'ete pokoy do deset'i hod'in]*
Where is your luggage?	**Kde máte zavazadla?**	*[gde mahte zavazadla]*
I have my luggage in the car.	**Zavazadla mám v autě.**	*[zavazadla mahm v aoot'e]*
Will you have my luggage sent up/ brought to my room, please?	**Nechte mi, prosím, donést moje zavazadla do pokoje.**	*[nekhte mi proseem donehst moye zavazadla do pokoye]*
The lift is on the right.	**Výtah je vpravo.**	*[veetakh ye fpravo]*

SERVICES
SLUŽBY

If you need anything, please use the telephone in your room and call to the reception.	**Jestliže něco budete potřebovat, použijte telefon na pokoji a zavolejte do recepce.**	*[yestlizhe n'etso boodete potrzhebovat po-oozhiyte telefon na pokoyi a zavoleyte do retseptse]*
Can you wake me up tomorrow, please?	**Můžete mě, prosím, zítra vzbudit?**	*[mōōzhete mn'e proseem zeetra vzbood'it]*
Could you get me a babysitter for Sunday evening from six to midnight?	**Mohl/a byste mi sehnat hlídání dětí na neděli od šesti do půlnoci?**	*[moh"l/a biste mi sehnat hleedahn'ee d'et'ee na ned'eli ot shest'i do pōōlnotsi]*
Is there a car park near the hotel?	**Je u hotelu parkoviště?**	*[ye oo hoteloo parkovisht'e]*
Can I change money here?	**Můžu si tady vyměnit peníze?**	*[mōōzhoo si tadi vimn'en'it pen'eeze]*

How would you like your money?	**Jak byste chtěla dostat peníze?**	*[yak bis-te kht^{y}ela dostat pen^{y}eeze]*
In tens and fives, please.	**V desetilibrových a pětilibrových bankovkách.**	*[v deset^{y}ilibroveekh a pyet^{y}ilibroveekh bankofkahkh]*
Can I call from the hotel?	**Mohu z hotelu telefonovat?**	*[mohoo z hoteloo telefonovat]*
May I send a fax from here?	**Mohu odsud poslat fax?**	*[mohoo otsoot poslat faks]*
May I make a xerox copy of something here?	**Mohl bych si tady něco okopírovat?**	*[mohl bikh si tadi n^{y}etso okopeerovat]*
Do you sell stamps?	**Prodáváte poštovní známky?**	*[prodahvahte posh-tovn^{y}ee znahmki]*
Can I mail a letter from here?	**Mohu odtud poslat dopis?**	*[mohoo ot-toot poslat dopis]*
Could you give me ...?	**Můžete mi dát ...?**	*[mōōzhete mi daht]*
- an ashtray	**- popelník**	*[popeln^{y}eek]*
- a bath towel	**- velký ručník**	*[velkee roochn^{y}eek]*
- a (an extra) blanket	**- deku (navíc)**	*[dekoo(naveets)]*
- more hangers	**- víc ramínek**	*[veets rameenek]*
- hot-water bottle	**- ohřívací láhev**	*[ohrzheevatsee lah-hef]*
- ice cubes	**- ledové kostky**	*[ledoveh kostki]*
- more pillows	**- víc polštářů**	*[veets polshtahrzhōō]*
- a bedside lamp	**- noční lampu**	*[nochn^{y}ee lampoo]*
- a soap	**- mýdlo**	*[meedlo]*
I have some shirts to be washed.	**Potřebuji vyprat nějaké košile.**	*[potrzhebooyi viprat n^{y}eyakeh koshile]*
Can you send someone up to collect them?	**Můžete někoho poslat, aby si je vyzvedl?**	*[mōōzhete n^{y}ekoho poslat, abi si ye vizvedl]*
The chambermaid will collect it in the morning.	**Pokojská si to ráno vyzvedne.**	*[pokoyskah si to rah-no vizvedne]*
Could you ...?	**Můžete mi ...?**	*[mōōzhete mi]*
- iron my trousers	**- vyžehlit kalhoty**	*[vizhehlit kalhoti]*
- brush my shoes	**- vyčistit boty**	*[vichist^{y}it boti]*

I need it for tonight.	**Potřebuji to na dnes večer.**	*[potrzhebooyi to na dnes vecher]*
Is here a doctor at the hotel?	**Je tu v hotelu doktor?**	*[ye too v hoteloo doktor]*
Is here a hair-dresser's in the hotel?	**Máte v hotelu kadeřnictví?**	*[mahte v hoteloo kaderzhnˇeetstvee]*

MESSAGES
VZKAZY

Has anybody asked for me at the hotel?	**Nehledal mě někdo v hotelu?**	*[nehledal mnˇe nˇeg-do v hoteloo]*
Yes, a gentleman.	**Ano, nějaký pán.**	*[ano nˇeyakee pahn]*
He left his business card for you here.	**Nechal tu pro Vás navštívenku.**	*[nekhal too pro vahs nafshtˇeevenkoo]*
If anybody asks for me, tell him, please, that ...	**Kdyby se po mně někdo ptal, řekněte, že ...**	*[gdibi se po mnˇe nˇegdo ptal rzhek-nˇete zhe]*
- I am in the dining room	**- jsem v jídelně**	*[ysem v yeedelnˇe]*
- I'll come at once	**- přijdu hned**	*[przhiydoo hnet]*
- I'll come back in the evening	**- se vrátím večer**	*[se vrahtˇeem vecher]*
- I'm in my room	**- jsem v pokoji**	*[ysem v pokoyi]*
If somebody asks for me, please, ask him ...	**Kdyby mě někdo sháněl, tak ho požádejte, ...**	*[gdibi mnˇe nˇegdo skhahnˇel tak ho pozhahdeyte]*
- to wait a minute	**- ať chvilku počká**	*[atˇ khilkoo pochkah]*
- to come tomorrow	**- ať přijde zítra**	*[atˇ przhiyde zeetra]*

CATERING
STRAVOVÁNÍ

Where is the restaurant?	**Kde je restaurace?**	*[gde ye restaooratse]*
What time do you serve ...?	**V kolik hodin podáváte ...?**	*[v kolik hodˇin podahvahte]*
- lunch	**- oběd**	*[obyet]*

- dinner	**- večeři**	*[vecherzhi]*
May I order breakfast to my room?	**Mohu si objednat do pokoje snídani?**	*[mohoo si obyednat do pokoye sn^{y}eedan^{y}i]*
Would you bring a bottle of champagne to my room, please?	**Přinesl byste mi, prosím, do pokoje láhev šampaňského?**	*[przhinesl biste mi, proseem, do pokoye lah-hef shampan^y-skeh-ho]*

COMPLAINTS, DEFECTS AND CLAIMS
STÍŽNOSTI, ZÁVADY A REKLAMACE

The ... isn't working.	**Nefunguje ...**	*[nefoongooye]*
- heating	**- topení**	*[topen^{y}ee]*
- shower	**- sprcha**	*[sprkha]*
- light	**- světlo**	*[svyetlo]*
- radio	**- radio**	*[rahdiyo]*
- television	**- televize**	*[televize]*
- telephone	**- telefon**	*[telefon]*
- air conditioning	**- klimatizace**	*[klimatizatse]*
- fan	**- větrák**	*[vyetrahk]*
The ... is broken.	**Je pokažená ...**	*[ye pokazhenah]*
- plug	**- elektrická zástrčka**	*[elektritskah zahstrchka]*
- lamp	**- lampa**	*[lampa]*
- blind	**- roleta**	*[roleta]*
The tap is dripping.	**Kohoutek kape.**	*[kohohtek kape]*
There is no (hot) water.	**Neteče (teplá) voda.**	*[neteche (teplah) voda]*
The wash-basin is blocked.	**Umyvadlo je ucpané.**	*[oomivadlo ye ootspaneh]*
The window in my room doesn't close properly.	**V mém pokoji nejde zavřít okno.**	*[v mehm pokoyi ney-de zavrzheet okno]*
I need someone to fix it.	**Potřebuji někoho, aby to opravil.**	*[potrzhebooyi n^{y}eko-ho, abi to opravil]*
My room is not in a good condition.	**Můj pokoj není v pořádku.**	*[mōōy pokoy nen^{y}ee v porzhahtkoo]*
Can you transfer me to another room?	**Můžete mi dát jiný pokoj?**	*[mōōzhete mi daht yinee pokoy]*

CHECK OUT
ODCHOD Z HOTELU

I would like to check out and settle my account.	**Rád bych se odhlásil a vyrovnal svůj hotelový účet.**	*[raht bikh se othlah-sil a virovnal svōōy hotelovee ōōchet]*
Would you make out my bill, please?	**Spočítala byste můj účet?**	*[spocheetala bis-te mōōy ōōchet]*
The total amount is at the bottom.	**Celková částka je vespod.**	*[tselkovah chahstka ye vespot]*
Are all extras included?	**Jsou započteny všechny poplatky?**	*[ysoh zapochteni fshekhni poplatki]*
Is service included?	**Je to s obsluhou?**	*[ye to s opsloohoh]*
I think the amount is too high.	**Myslím, že tato částka je příliš vysoká.**	*[misleem zhe tato chahstka ye przhee-lish visokah]*
Could you go through it with me, please?	**Můžete to se mnou projít?**	*[mōōzhete to se mnoh proyeet]*
Can I pay by cheque?	**Mohu platit šekem?**	*[mohoo plat^{y}it shekem]*
Can I pay in cash?	**Mohu platit v hotovosti?**	*[mohoo plat^{y}it v hotovost^{y}i]*
As for credit cards, we accept only ...	**Z kreditních karet přijímáme pouze ...**	*[s kreditn^{y}eekh karet przhiyeemahme pohze]*
May I leave my luggage in the hall for a moment?	**Mohu si nechat na okamžik zavazadla v hale?**	*[mohoo si nekhat na okamzhik zavazadla v hale]*
If there is any mail for me, please send it to this address.	**Kdyby mi přišla pošta, prosím, pošlete ji na tuto adresu.**	*[gdibi mi przhishla poshta proseem poshlete yi na tooto adresoo]*
Can you call for a taxi, please?	**Zavolejte mi taxi, prosím!**	*[zavoleyte mi taksi proseem]*
I liked it here very much.	**Moc se mi tady líbilo.**	*[mots se mi tadi leebilo]*

RESTAURANT
RESTAURACE

Are you hungry?	**Máš hlad?**	*[mahsh hlat]*
I feel like eating/ drinking.	**Něco bych snědl/ vypil.**	*[n^{y}etso bikh sn^{y}edl/ vipil]*
May I invite you to lunch/ to dinner/ for a drink?	**Mohu Vás pozvat na oběd/ večeři/ skleničku?**	*[mohoo vahs pozvat na obyet/ vecherzhi/ sklenichkoo]*
Would you like to join me for lunch?	**Chtěla byste jít se mnou na oběd?**	*[kht^{y}ela biste yeet se mnoh na obyet]*
There happens to be an excellent pub nearby.	**Náhodou je tu poblíž výborná restaurace.**	*[nah-hodoh ye too pobleesh veebornah restaooratse]*
I can recommend you my favourite restaurant, where they serve really delicious food.	**Můžu ti doporučit moji oblíbenou restauraci, kde vaří opravdu vynikající jídla.**	*[mōōzhoo t^{y}i doporoo-chit moyi obleebenoh restaoo-ratsi gde va-rzhee opravdoo vi-n^{y}ikayeetsee yeedla]*
I'd like to make a table reservation for seven o'clock this evening.	**Chtěl bych si rezervovat stůl na dnešní večer na 7 hodin.**	*[kht^{y}el bikh si rezer-vovat stōōl na dnesh-n^{y}ee vecher na sedoom hod^{y}in]*
For how many people would you like seats?	**Pro kolik osob byste chtěli místa?**	*[pro kolik osop bis-te kht^{y}eli meesta]*
For how many people do you need a table?	**Pro kolik osob potřebujete stůl?**	*[pro kolik osop po-trzhebooyete stōōl]*
A table for two people, please.	**Jeden stůl pro dva, prosím.**	*[yeden stōōl pro dva proseem]*
I am very sorry, but all tables are taken.	**Je mi líto, ale vše je obsazeno.**	*[ye mi leeto ale fshe ye opsazeno]*
Have you got a table reservation?	**Máte rezervovaný stůl?**	*[mahte rezervovanee stōōl]*
Will this table suit you?	**Bude vám tento stůl vyhovovat?**	*[boode vahm tento stōōl vihovovat]*

Excuse me, my reservation was for nine o'clock, and I insist you find me a free table now.	**Promiňte, ale moje rezervace byla na devět hodin a já trvám na tom, abyste mi našel volný stůl.**	*[promin^{y}te ale moye rezervatse bila na devyet hod^{y}in a yah trvahm na tom abis-te mi nashel volnee stōōl]*
Are here two seats free?	**Jsou tu dvě místa volná?**	*[ysoh too dvye meesta volnah]*
Is this table free?	**Je tento stůl volný?**	*[ye tento stōōl volnee]*
Unfortunately not, it is taken.	**Bohužel ne, je obsazen.**	*[bohoozhel ne ye opsazen]*
Excuse me, it is reserved.	**Promiňte, je rezervován.**	*[promin^{y}te ye rezervovahn]*
Let's take that free table ...	**Sedněme si tam k tomu volnému stolu ...**	*[sedn^{y}eme si tam k tomoo volnehmoo stoloo]*
- in the corner	**- v rohu**	*[v rohoo]*
- at the window	**- u okna**	*[oo okna]*
- on the terrace	**- na terase**	*[na terase]*
- in the middle	**- uprostřed**	*[ooprostrzhet]*
Sit down over there, will you?	**Posaďte se, prosím, tamhle, ano?**	*[posat^{y}te se proseem tamhle ano]*

AT THE TABLE
U STOLU

I'll call the waiter/ waitress/ chief.	**Zavolám číšníka/ číšnici/ vrchního.**	*[zavolahm cheesh-n^{y}eeka/ cheeshn^{y}itsi/ vrkhn^{y}eeho]*
I'd like to have some-thing to eat/ to drink.	**Chtěla bych něco k jídlu/ k pití.**	*[kht^{y}ela bikh n^{y}etso k yeedloo/ k pit^{y}ee]*
Excuse me, please, would you bring me the menu/ beverage list?	**Promiňte, prosím, přinesl byste mi jídelní lístek/ nápojový lístek?**	*[promin^{y}te proseem przhinesl bis-te mi yeedeln^{y}ee leestek/ nahpoyovee leestek]*
I'll have something to eat.	**Dám si něco k jídlu.**	*[dahm si n^{y}etso k yeedloo]*
Have you given your order yet?	**Máte už objednáno?**	*[mahte oosh obyednahno]*

What would you recommend us?	**Co byste nám doporučil?**	*[tso bis-te nahm doporoochil]*
Could you give me ...?	**Mohl byste mi dát ...?**	*[mohl bist-e mi daht]*
- lemon	**- citrón**	*[tsitrōn]*
- sugar	**- cukr**	*[tsookr]*
- bread	**- chléb**	*[khlehp]*
- spice	**- koření**	*[korzhen^{y}ee]*
- a teaspoon	**- lžičku**	*[lzhichkoo]*
- butter	**- máslo**	*[mahslo]*
- a knife	**- nůž**	*[nōōsh]*
- vinegar	**- ocet**	*[otset]*
- oil	**- olej**	*[oley]*
- pepper pot	**- pepřenku**	*[peprzhenkoo]*
- an ashtray	**- popelník**	*[popeln^{y}eek]*
- a cutlery	**- příbor**	*[przheebor]*
- a glass	**- sklenici**	*[sklen^{y}itsi]*
- a salt cellar	**- solničku**	*[soln^{y}ichkoo]*
- a cup	**- šálek**	*[shahlek]*
- a plate	**- talíř**	*[taleerzh]*
- a napkin	**- ubrousek**	*[oobrohsek]*
- a fork	**- vidličku**	*[vidlichkoo]*
Would you like anything else?	**Přejete si ještě něco?**	*[przheyete si yesht^{y}e n^{y}etso]*
Yes, please. Could you bring me ...	**Ano, prosím, můžete mi ještě přinést ...**	*[ano proseem mōōzhete mi yesht^{y}e przhinehst]*
That's all, thank you.	**Děkuji, to je všechno.**	*[d^{y}ekooyi to ye fshekhno]*
Enjoy your meal.	**Dobrou chuť!**	*[dobroh khoot^{y}]*
Did you like it?	**Chutnalo Vám?**	*[khootnalo vahm]*
Thank you, it is delicious.	**Děkuji, je to vynikající.**	*[d^{y}ekooyi ye to vin^{y}ikayeetsee]*
Was everything all right?	**Bylo všechno v pořádku?**	*[bilo fshekhno v porzhahtkoo]*
The service was very good.	**Obsluha byla velmi dobrá.**	*[opslooha bila velmi dobrah]*
Bring me the bill, please.	**Přineste mi, prosím, účet.**	*[przhineste mi proseem ōōchet]*

BREAKFAST
SNÍDANĚ

Good morning!	**Dobré ráno!**	*[dobreh rahno]*
What will you have for breakfast?	**Co si přejete k snídani?**	*[tso si przheyete k sn^{y}eedan^{y}ee]*
I won't have anything, thank you.	**Nechci nic, děkuji.**	*[nekhtsi nits d^{y}ekooyi]*
What do you prefer - tea or coffee?	**Čemu dáváte přednost - čaji nebo kávě?**	*[chemoo dahvahte przhednost - chayi nebo kahvye]*
How much sugar?	**Kolik cukru?**	*[kolik tsookroo]*
No sugar for me.	**Pro mne bez cukru.**	*[pro mn^{y}e bes tsookroo]*
I would like ...	**Dal bych si ...**	*[dal bikh si]*
- tea	**- čaj**	*[chay]*
- tea with lemon	**- čaj s citronem**	*[chay s tsitrōnem]*
- tea with milk	**- čaj s mlékem**	*[chay s mlehkem]*
- coffee with cream	**- kávu se smetanou**	*[kahvoo se smetanoh]*
- milk	**- mléko**	*[mlehko]*
- hot chocolate	**- čokoládu**	*[chokolahdoo]*
- cocoa	**- kakao**	*[kakao]*
- pineapple juice	**- ananasovou šťávu**	*[ananasovoh sht^{y}ahvoo]*
- tomato juice	**- rajčatovou šťávu**	*[raychatovoh sht^{y}ahvoo]*
- bread	**- chléb**	*[khlehp]*
- toast	**- opékaný chléb**	*[opehkanee khlehp]*
- roll	**- housky**	*[hohski]*
- bun	**- sladká žemle**	*[slatkah zhemle]*
- soft-boiled eggs	**- vejce na měkko**	*[veytse na mn^{y}eko]*
- hard-boiled eggs	**- vejce na tvrdo**	*[veytse na tvrdo]*
- scrambled eggs	**- míchaná vejce**	*[meekhanah veytse]*
- eggs with bacon	**- vejce se slaninou**	*[veytse se slan^{y}inoh]*
- ham-and-eggs	**- vejce se šunkou**	*[veytse se shoonkoh]*
- butter	**- máslo**	*[mahslo]*
- honey	**- med**	*[met]*
- oat flakes	**- ovesné vločky**	*[ovesneh vlochki]*
- cornflakes	**- obilné lupínky**	*[obilneh loopeenki]*

LUNCH, SUPPER
OBĚD, VEČEŘE

Will you have anything to eat?	**Budete jíst?**	*[boodete yeest]*
Will you have lunch/ supper?	**Budete obědvat/ večeřet?**	*[boodete obyedvat/ vecherzhet]*
What's for supper?	**Co je k večeři?**	*[tso ye k vecherzhi]*
Have you made your choice?	**Máte vybráno?**	*[mahte vibrahno]*
I cannot decide.	**Nemůžu se rozhodnout.**	*[nemōōzhoo se rozhodnoht]*
Would you like to order?	**Chcete siobjednat?**	*[khtsete si obyednat]*
I want only a snack.	**Chci jenom něco malého.**	*[khtsi yenom n^yetso maleh-ho]*
I would like a delicacy.	**Chtěla bych nějakou pochoutku.**	*[kht^yela bikh n^yeya-koh pokhohtkoo]*
Do you have some meals for vegetarians/ diabetics?	**Máte nějaká jídla pro vegetariány/ diabetiky?**	*[mahte n^yeyakah yeedla pro vegeta-riyahni/ diabetiki]*
I'll have prawn cocktail as a starter.	**Jako předkrm si dám krevetový koktejl.**	*[yako przhetkrm si dahm krevetovee kokteyl]*
I'll have jacket potatoes with baked beans, cheese and tuna as a main course.	**Jako hlavní chod si dám pečené brambory ve slupce s fazolkami, sýrem a tuňákem.**	*[yako hlavn^yee khot si dahm pecheneh brambori ve slooptse s fazolkami seerem a toon^yahkem]*
Could you give me mixed vegetable salad with it, please?	**Můžete mi k tomu dát míchaný zeleninový salát?**	*[mōōzhete mi k to-moo daht meekhanee zelen^yinovee salaht]*
Could you bring us fish fingers with chips, vinegar and ketchup, please?	**Prosím Vás, mohl byste nám přinést smažené rybí prsty s hranolky, octem a kečupem?**	*[proseem vahs mo-h^ul bis-te nahm przhi-nehst smazheneh ribee prsti s hranolki otstem a kechoopem]*

BEVERAGES
NÁPOJE

May I invite you for a cup of tea?	**Smím Vás pozvat na šálek čaje?**	*[smeem vahs pozvat na shahlek chaye]*
And what about going for a drink of good wine?	**A co takhle zajít si na skleničku dobrého vína?**	*[a tso takhle zayeet si na sklen^{y}ichkoo dob-reh-ho veena]*
I'll have something hot to warm me up.	**Dám si něco na zahřátí.**	*[dahm si n^{y}etso na zahrzhaht^{y}ee]*
I feel like a glass of mineral water with an ice cube.	**Dala bych si skleníci minerální vody s kostkou ledu.**	*[dala bikh si sklenitsi minerahln^{y}ee vodi s kostkoh ledoo]*
Are you going to have an aperitif?	**Přejete si aperitiv?**	*[przheyete si aperitif]*
What would you like to drink?	**Co si přejete k pití?**	*[tso si przheyete k pit^{y}ee]*
Give me a gin and tonic, please.	**Dejte mi, prosím, gin s tonikem.**	*[deyte mi proseem dzhin s tonikem]*
We'll have ...	**K pití si dáme ...**	*[k pit^{y}ee si dahme]*
Cocoa cocktail for children and a lager for me, please.	**Pro děti kakaový koktejl a pro mě lehké pivo.**	*[pro d^{y}et^{y}i kakaovee kokteyl a pro mn^{y}e lekhkeh pivo]*
Will you bring us another bottle of red wine, please?	**Prosím ještě jednu láhev červeného vína.**	*[proseem yesht^{y}e yednoo lah-hef cherveneh-ho veena]*
The wine is too sweet.	**To víno je příliš sladké.**	*[to veeno ye przhee-lish slatkeh]*
Cheers!	**Na zdraví!**	*[na zdravee]*
Long may you live!	**Ať slouží!**	*[at^y slohzhee]*

STARTERS
PŘEDKRMY

avocado with prawns	**avokádo s krevetami**	*[avokahdo s krevetami]*
shrimp cocktail	**humrový salát**	*[hoomrovee salaht]*
iced melon	**chlazený meloun**	*[khlazenee melohn]*

savouries	**chuťovky**	*[khoot^{y}ofki]*
liver paté	**játrová paštika**	*[yahtrovah pasht^{y}ika]*
sausages	**klobásy**	*[klobahsi]*
crab salad	**krabí salát**	*[krabee salaht]*
gherkin/ pickle	**kyselý okurek**	*[kiselee okoorek]*
fried pastry (coated in garlic)	**langoše (s česnekem)**	*[langoshe (s ches-nekem)]*
margarine	**margarín**	*[margareen]*
stuffed snails	**nadívaní hlemýždi**	*[nad^{y}eevanee hlemeeshd^{y}i]*
pickles vegetables	**nakládaná zelenina**	*[naklahdanah zelen^{y}ina]*
sandwiches	**obložené chlebíčky**	*[oblozheneh khlebeechki]*
omelette	**omeleta**	*[omeleta]*
pancakes	**palačinky**	*[palachinki]*
frankfurters	**párky**	*[pahrki]*
paté	**paštika**	*[pasht^{y}ika]*
stuffed tomato	**plněné rajče**	*[pln^{y}eneh rayche]*
egg mayonnaise	**ruské vejce**	*[rooskeh veytse]*
salami	**salám (pikantní)**	*[salahm (pikantn^{y}ee)]*
sardines in oil	**sardinky v oleji**	*[sardinki v oleyi]*
calamary	**smažené sepiové kroužky**	*[smazheneh sehpiyo-veh krohshki]*
herrings with onions	**slanečci s cibulí**	*[slanechtsi s tsiboolee]*
cold meat platter	**studená mísa**	*[stoodenah meesa]*
cheese	**sýr**	*[seer]*
mussels in wine	**škeble ve víně**	*[shkeble ve veen^{y}e]*
ham	**šunka**	*[shoonka]*
cod liver	**tresčí játra**	*[treschee yahtra]*
tuna fish	**tuňák**	*[toon^{y}ahk]*
cottage cheese	**tvaroh**	*[tvarokh]*
Hungarian salami	**uherský salám**	*[ooherskee salahm]*
oyster	**ústřice**	*[ōōstrzhitse]*
smoked tongue	**uzený jazyk**	*[oozenee yazik]*
rollmop	**zavináč**	*[zavinahch]*
frog legs	**žabí stehýnka**	*[zhabee steheenka]*
mushrooms	**žampiony**	*[zhampiyōni]*

SOUPS
POLÉVKY

potato soup	**bramborová polévka**	*[bramborovah polehfka]*
broccoli soup	**brokolicová polévka**	*[brokolitsovah polehfka]*
garlic soup	**česneková polévka**	*[chesnekovah polehfka]*
lentil soup	**čočková polévka**	*[chochkovah polehfka]*
tripe soup	**dršťková polévka**	*[drsht^{y}kovah polehfka]*
chicken soup	**drůbeží polévka**	*[drōōbezhee polehfka]*
bean soup	**fazolová polévka**	*[fazolovah polehfka]*
mushroom soup	**houbová polévka**	*[hohbovah polehfka]*
beef broth with noodles	**hovězí vývar s nudlemi**	*[hovyezee veevar s noodlemi]*
pea soup	**hrachová polévka**	*[hrakhovah polehfka]*
tomato soup	**rajská polévka**	*[rayskah polehfka]*
vegetable soup	**zeleninová polévka**	*[zelen^{y}inovah polehfka]*
fish soup	**rybí polévka**	*[ribee polehfka]*

FISH AND SEAFOOD
RYBY A PLODY MOŘE

snail	**hlemýžď**	*[hlemeesht^y]*
octopus	**chobotnice**	*[khobotn^{y}itse]*
carp	**kapr**	*[kapr]*
caviar	**kaviár**	*[kaviyahr]*
crab	**krab**	*[krap]*
mackerel	**makrela**	*[makrela]*
shrimp	**mořský krab**	*[morzhskee krap]*
bass	**mořský okoun**	*[morzhskee okohn]*
lobster	**mořský rak**	*[morzhskee rak]*
perch	**okoun říční**	*[okohn rzheechn^{y}ee]*
plaice	**platýs**	*[platees]*
trout	**pstruh**	*[pstrookh]*
crayfish	**rak**	*[rak]*

salmon	**losos**	*[losos]*
fish fillet	**rybí filé**	*[ribee fileh]*
sardine	**sardinka**	*[sardinka]*
cuttlefish	**sépie**	*[sehpiye]*
herring	**sleď**	*[slet^y]*
sheatfish	**sumec**	*[soomets]*
mussel	**škeble**	*[shkeble]*
pike	**štika**	*[sht^{y}ika]*
cod-fish/ haddock	**treska**	*[treska]*
eel	**úhoř**	*[ōōhorzh]*
oyster	**ústřice**	*[ōōstrzhitse]*
shark	**žralok**	*[zhralok]*
carp baked with caraway seeds	**kapr na kmíně**	*[kapr na kmeen^{y}e]*
grilled trout with herb butter	**pstruh na másle**	*[pstrookh na mahsle]*
poached trout in cream	**pstruh na smetaně**	*[pstrookh na smetan^{y}e]*

MEAT
MASO

poultry	**drůbeží**	*[drōōbezhee]*
beef	**hovězí**	*[hovyezee]*
lamb	**jehněčí**	*[yehn^{y}echee]*
mutton	**skopové**	*[skopoveh]*
veal	**telecí**	*[teletsee]*
pork	**vepřové**	*[veprzhoveh]*
game	**zvěřina**	*[zvyerzhina]*
roast pheasant with bacon	**bažant na slanině**	*[bazhant na slan^{y}in^{y}e]*
steak	**biftek**	*[biftek]*
- rare	**- krvavý**	*[krvavee]*
- medium	**- středně propečený**	*[strzhedn^{y}e propechenee]*
- well done	**- propečený**	*[propechenee]*
- steak tartare	**- tatarský**	*[tatarskee]*
belly pork	**bůček**	*[bōōchek]*
meatballs	**čevabčiči**	*[chevapchichi]*

beef goulash	**hovězí guláš**	*[hovyezee goolahsh]*
pigeon	**holub**	*[holoop]*
beef ragout with mushrooms	**hovězí dušené na hříbkách**	*[hovyezee doosheneh na hrzheepkah-kh]*
roast beef	**hovězí pečeně**	*[hovyezee pechen^{y}e]*
saddle	**hřbet**	*[hrzhbet]*
liver	**játra**	*[yahtra]*
tongue	**jazyk**	*[yazik]*
leg of lamb	**jehněčí stehno**	*[yehn^{y}echee stehno]*
deer/ stag	**jelen**	*[yelen]*
blood sausage	**jelítko**	*[yeleetko]*
white sausage	**jitrnice**	*[yitrn^{y}itse]*
boar	**kanec**	*[kanets]*
sausages	**klobásy**	*[klobahsi]*
partridge	**koroptev**	*[koroptef]*
chop/ cutlet	**kotleta**	*[kotleta]*
rabbit	**králík**	*[krahleek]*
leg of pork	**kýta**	*[keeta]*
kidneys	**ledvinky**	*[ledvinki]*
mincemeat	**mleté maso**	*[mleteh maso]*
frankfurters	**párky**	*[pahrki]*
entrecote	**roštěná**	*[rosht^{y}enah]*
salami	**salám**	*[salahm]*
chopped meat	**sekaná**	*[sekanah]*
sucking pig	**selátko**	*[selahtko]*
mutton	**skopové**	*[skopoveh]*
bacon	**slanina**	*[slan^{y}ina]*
roebuck	**srnec**	*[srnets]*
tenderloin	**svíčková**	*[sveechkovah]*
roast veal	**telecí pečeně**	*[teletsee pechen^{y}e]*
breast of veal	**telecí žebírko**	*[teletsee zhebeerko]*
gammon	**uzená šunka**	*[oozenah shoonka]*
pork neck	**vepřová krkovička**	*[veprzhovah krkovichka]*
pork chops	**vepřové kotlety**	*[veprzhoveh kotleti]*
rib of pork	**vepřové žebírko**	*[veprzhoveh zhebeerko]*
hare	**zajíc**	*[zayeets]*

braised	**dušené**	*[doosheneh]*
grilled	**grilované**	*[grilovaneh]*
minced	**mleté**	*[mleteh]*
roasted	**pečené**	*[pecheneh]*
(barbecue)	**(na roštu)**	*(na roshtoo)*
fried	**smažené**	*[smazheneh]*
smoked	**uzené**	*[oozeneh]*
boiled	**vařené**	*[varzheneh]*
steamed	**vařené v páře**	*[varzheneh v pahrzhe]*
very rare	**na krvavo**	*[na krvavo]*

POULTRY
DRŮBEŽ

broiler	**broiler**	*[broyler]*
giblets	**drůbky**	*[drōōpki]*
goose	**husa**	*[hoosa]*
duck	**kachna**	*[kakhna]*
cock/ hen	**kohout/ slepice**	*[kohoht/ slepitse]*
turkey	**krůta**	*[krōōta]*
chicken	**kuře**	*[koorzhe]*
- grilled	**- grilované**	*[grilovaneh]*
- with a paprika sauce	**- na paprice**	*[na papritse]*
- on the grill	**- na rožni**	*[na rozhn^{y}i]*
- stuffed with ...	**- nadívané (čím)**	*[nad^{y}eevaneh (cheem)]*
- stew	**- ragú**	*[ragōō]*
- risotto	**- rizoto**	*[rizoto]*

SIDE DISHES
PŘÍLOHY

potatoes	**brambory**	*[brambori]*
- baked	**- pečené**	*[pecheneh]*
- fried	**- smažené**	*[smazheneh]*

- boiled	**- vařené**	*[varzheneh]*
potato cakes made from raw potatoes	**bramborák**	*[bramborahk]*
chips/ French fries	**hranolky**	*[hranolki]*
mashed potatoes	**bramborová kaše**	*[bramborovah kashe]*
potato dumpling	**bramborový knedlík**	*[bramborovee knedleek]*
potato salad	**bramborový salát**	*[bramborovee salaht]*
dumpling	**knedlík**	*[knedleek]*
croquettes	**krokety**	*[kroketi]*
macaroni	**makarony**	*[makaroni]*
sauce	**omáčka**	*[omahchka]*
rice	**rýže**	*[reezhe]*
- stewed	**- dušená**	*[dooshenah]*
spaghetti	**špagety**	*[shpageti]*
pasta	**těstoviny**	*[t^y^estovini]*
vegetables	**zelenina**	*[zelen^y^ina]*
side salad	**zeleninová obloha**	*[zelen^y^inovah obloha]*

VEGETABLES
ZELENINA

avocado	**avokado**	*[avokado]*
potatoes	**brambory**	*[brambori]*
- sweet potatoes	**- sladké**	*[slatkeh]*
broccoli	**brokolice**	*[brokolitse]*
celery	**celer**	*[tseler]*
onion	**cibule**	*[tsiboole]*
courgetes	**cuketa**	*[tsooketa]*
garlic	**česnek**	*[chesnek]*
beetroot/ beet	**červená řepa**	*[chervenah rzhepa]*
lentil	**čočka**	*[chochka]*
pumpkin	**dýně**	*[deen^y^e]*
beans	**fazole**	*[fazole]*
- butter beans	**- bílé**	*[beeleh]*
- kidney beans	**- červené**	*[cherveneh]*
- green beans	**- zelené**	*[zeleneh]*
lettuce	**hlávkový salát**	*[hlahfkovee salaht]*
mushrooms	**houby**	*[hohbi]*

green peas	**hrášek**	*[hrahshek]*
savoy/ kale	**kapusta**	*[kapoosta]*
turnip	**kedluben**	*[kedlooben]*
horse radish	**křen**	*[krzhen]*
sweetcorn	**kukuřice**	*[kookoorzhitse]*
cauliflower	**květák**	*[kvyetahk]*
aubergine	**lilek**	*[lilek]*
carrot	**mrkev**	*[mrkef]*
cucumber	**okurka**	*[okoorka]*
pickle	**okurka nakládaná**	*[okoorka naklahdanah]*
sweet peppers	**paprika sladká**	*[paprika slatkah]*
chives	**pažitka**	*[pazhitka]*
parsley	**petržel**	*[petrzhel]*
leek	**pórek**	*[pōrek]*
tomatoes	**rajčata**	*[raychata]*
radish	**ředkvička**	*[rzhetkvichka]*
swede	**řepa**	*[rzhepa]*
brussels sprouts	**růžičková kapusta**	*[rōōzhichkovah kapoosta]*
spinach	**špenát**	*[shpenaht]*
marrow/ squash	**tykev**	*[tikef]*
cabbage	**zelí**	*[zelee]*
- chinese leaves	**- čínské**	*[cheenske]*
- sauerkraut	**- kysané**	*[kisaneh]*

SALADS
SALÁTY

French bean salad	**fazolový salát**	*[fazolovee salaht]*
lettuce salad with olive oil	**hlávkový salát s olivovým olejem**	*[hlahfkovee salaht s olivoveem oleyem]*
cucumber salad	**okurkový salát**	*[okoorkovee salaht]*
fresh fruit salad	**ovocný salát**	*[ovotsnee salaht]*
tomato salad	**rajčatový salát**	*[raychatovee salaht]*
beetroot salad	**salát z červené řepy**	*[salaht s cherveneh rzhepi]*
mixed vegetable salad with dressing	**zeleninový salát se zálivkou**	*[zelen^yinovee salaht se zahlifkoh]*

FRUIT
OVOCE

fresh fruit basket	**ovocná mísa**	*[ovotsnah meesa]*
pineapple	**ananas**	*[ananas]*
goosberry	**angrešt**	*[angresht]*
banana	**banán**	*[banahn]*
blueberry	**borůvka**	*[borōōfka]*
peach	**broskev**	*[broskef]*
cranberry	**brusinka**	*[broosinka]*
lemon	**citron**	*[tsitrōn]*
date	**datle**	*[datle]*
fig	**fík**	*[feek]*
grapefruit	**grapefruit**	*[grepfrooyt]*
grapes	**hroznové víno**	*[hroznoveh veeno]*
pear	**hruška**	*[hrooshka]*
apple	**jablko**	*[yablko]*
strawberry	**jahoda**	*[yahoda]*
rowanberry	**jeřabina**	*[yerzhabina]*
chestnut	**kaštan**	*[kashtan]*
kiwi	**kiwi**	*[kivi]*
coconut	**kokos**	*[kokos]*
raspberry	**malina**	*[malina]*
clementine	**mandarinka**	*[mandarinka]*
almond	**mandle**	*[mandle]*
mango	**mango**	*[mango]*
melon	**meloun**	*[melohn]*
- honeydew melon	**- sladký**	*[slatkee]*
- watermelon	**- vodní**	*[vodn^{y}ee]*
apricot	**meruňka**	*[meroon^{y}ka]*
nectarine	**nektarinka**	*[nektarinka]*
nut	**ořech**	*[orzhekh]*
small nut	**oříšek**	*[orzheeshek]*
- peanut	**- burský**	*[boorskee]*
- hazelnut	**- lískový**	*[leeskovee]*
- walnut	**- vlašský**	*[vlashskee]*
blackberry	**ostružina**	*[ostroozhina]*
orange	**pomeranč**	*[pomeranch]*

raisins	**rozinky**	*[rozinki]*
currant	**rybíz**	*[ribees]*
- black currant	**- černý**	*[chernee]*
- red currant	**- červený**	*[chervenee]*
prunes	**sušené švestky**	*[soosheneh shvestki]*
plum	**švestka**	*[shvestka]*
cherries	**třešně, višně**	*[trzheshn'e vishn'e]*

HERBS AND SPICES
BYLINKY A KOŘENÍ

aniseed	**anýz**	*[anees]*
basil	**bazalka**	*[bazalka]*
bay leaf	**bobkový list**	*[bobkovee list]*
shallot	**drobná cibulka**	*[drobnah tsiboolka]*
chilli powder	**čili**	*[čili]*
fennel	**fenykl**	*[fenikl]*
camomile	**heřmánek**	*[herzhmahnek]*
mustard	**hořčice**	*[horzhchitse]*
clove	**hřebíček**	*[hrzhebeechek]*
ketchup	**kečup**	*[kechoop]*
caraway	**kmín**	*[kmeen]*
dill	**kopr**	*[kopr]*
spices	**koření**	*[korzhen'ee]*
horseradish	**křen**	*[krzhen]*
marjoram	**majoránka**	*[mayorahnka]*
mint	**máta**	*[mahta]*
mace	**muškátový květ**	*[mooshkahtovee kvyet]*
nutmeg	**muškátový oříšek**	*[mooshkahtovee orzheeshek]*
vinegar	**ocet**	*[otset]*
- malt vinegar	**- sladový**	*[sladovee]*
- wine vinegar	**- vinný**	*[vinee]*
oil	**olej**	*[oley]*
- peanut oil	**- arašídový**	*[arasheedovee]*
- olive oil	**- olivový**	*[olivovee]*
- sunflower oil	**- slunečnicový**	*[sloonechnitsovee]*
chives	**pažitka**	*[pazhitka]*
pepper	**pepř**	*[peprzh]*

sage	**šalvěj**	*[shalvyey]*
cinnamon	**skořice**	*[skorzhitse]*
soya sauce	**sojová omáčka**	*[soyovah omachka]*
salt	**sůl**	*[sōōl]*
thyme	**tymián**	*[timiyahn]*
vanilla	**vanilka**	*[vanilka]*
ginger	**zázvor**	*[zahzvor]*

DESSERTS
ZÁKUSKY

fancy bread	**bábovka**	*[bahbofka]*
cookies	**cukroví**	*[tsookrovee]*
fresh strawberries with cream	**čerstvé jahody se šlehačkou**	*[cherstveh yahodi se shlehachkoh]*
chocolate pudding	**čokoládový zákusek**	*[chokolahdovee zahkoosek]*
cake	**dort**	*[dort]*
apple pie	**jablkový koláč**	*[yablkovee kolahch]*
doughnuts	**koblihy**	*[koblihi]*
pie	**koláč**	*[kolahch]*
preserves	**kompot**	*[kompot]*
sweets/ pastry	**moučník**	*[mohchnʸeek]*
sponge pudding and custard	**piškot s vaječným krémem**	*[pishkot s vayech-neem krehmem]*
ice cream with chocolate topping	**zmrzlina s čokolá-dovou polevou**	*[zmrzlina s choko-lahdovoh polevoh]*

ALCOHOLIC DRINKS
ALKOHOLICKÉ NÁPOJE

sipper/ straw	**brčko**	*[brchko]*
bottle	**láhev**	*[lah-hef]*
glass	**sklenice**	*[sklenʸitse]*
ice cube	**kostka ledu**	*[kostka ledoo]*
alcohol	**alkohol**	*[alkohol]*
alcoholic beverages	**alkoholické nápoje**	*[alkoholitskeh nahpoye]*
spirits	**lihoviny**	*[lihovini]*

cold beverages	**studené nápoje**	*[stoodeneh nahpoye]*
hot beverages	**teplé nápoje**	*[tepleh nahpoye]*
aperitif	**aperitiv**	*[aperitif]*
brandy/ cognac	**koňak**	*[kon^{y}ak]*
spirit	**kořalka**	*[korzhalka]*
liqueur	**likér**	*[likehr]*
- herbal	**- bylinný**	*[bilinee]*
brandy	**pálenka**	*[pahlenka]*
beer	**pivo**	*[pivo]*
- ale	**- bez pěny**	*[bes pyeni]*
- stout/ dark	**- černé**	*[cherneh]*
- bottled	**- láhvové**	*[lahvoveh]*
- with skim/ foam	**- s pěnou**	*[s pyenoh]*
- ale/ light	**- světlé**	*[svyetleh]*
- draught	**- točené**	*[tocheneh]*
- tinned/ canned	**- v plechovce**	*[v plekhoftse]*
rum	**rum**	*[room]*
slivovitz	**slivovice**	*[slivovitse]*
vermouth	**vermut**	*[vermoot]*
wine	**víno**	*[veeno]*
- white	**- bílé**	*[beeleh]*
- red	**- červené**	*[cherveneh]*
- homemade	**- domácí**	*[domahtsee]*
- light	**- lehké**	*[lekhkeh]*
- young	**- mladé**	*[mladeh]*
- ordinary	**- obyčejné**	*[obicheyneh]*
- rosé	**- růžové**	*[rōōzhoveh]*
- diluted/ thinned	**- vinný střik**	*[vinee strzhik]*
- strong/ heavy	**- silné**	*[silneh]*
- old/ mature	**- staré**	*[stareh]*
- mulled	**- svařené**	*[svarzheneh]*
- table	**- stolní**	*[stoln^{y}ee]*
- dry	**- suché**	*[sookheh]*
- sparkling	**- šumivé**	*[shoomiveh]*
- branded	**- značkové**	*[znachkoveh]*
whisky	**whisky**	*[viski]*
- whisky on the rock	**- s ledem**	*[s ledem]*
- neat/ straight	**- čistou**	*[chistoh]*
- with a little water	**- s trochou vody**	*[s trokhoh vodi]*

NONALCOHOLIC DRINKS
NEALKOHOLICKÉ NÁPOJE

soft drinks	**nealkoholické nápoje**	*[nealkoholitskeh nahpoye]*
tea	**čaj**	*[chay]*
- herbal	**- bylinkový**	*[bilinkovee]*
- lemon	**- citronový**	*[tsitrōnovee]*
- camomile	**- heřmánkový**	*[herzhmahnkovee]*
- iced tea	**- ledový**	*[ledovee]*
- lime blossom	**- lipový**	*[lipovee]*
- peppermint	**- mátový**	*[mahtovee]*
- fruit	**- ovocný**	*[ovotsnee]*
- strong	**- silný**	*[silnee]*
- light	**- slabý**	*[slabee]*
hot chocolate	**čokoláda**	*[chokolahda]*
cocoa	**kakao**	*[kakao]*
coffee	**káva**	*[kahva]*
- caffeine-free	**- bez kofeinu**	*[bes kofeynoo]*
- with milk	**- bílá (s mlékem)**	*[beelah (s mlehkem)]*
- black	**- černá**	*[chernah]*
- espresso	**- expreso**	*[ekspreso]*
- mocha	**- moka**	*[moka]*
- with cream	**- se šlehačkou**	*[se shlehachkoh]*
- with sugar	**- s cukrem**	*[s tsookrem]*
- with cognac	**- s koňakem**	*[s kon^{y}akem]*
- Irish coffee	**- irská**	*[irskah]*
- Turkish coffee	**- turecká**	*[tooretskah]*
- Vienna coffee	**- vídeňská**	*[veeden^{y}skah]*
milkshake	**koktejl**	*[kokteyl]*
lemonade	**limonáda**	*[limonahda]*
mineral water	**minerálka**	*[minerahlka]*
milk	**mléko**	*[mlehko]*
- condensed milk	**- kondenzované**	*[kondenzovaneh]*
- low-fat milk	**- nízkotučné**	*[n^{y}eeskotoochneh]*
- whole milk	**- plnotučné**	*[plnotoochneh]*
- half-fat milk	**- polotučné**	*[polotoochneh]*
- hot milk with honey	**- teplé s medem**	*[tepleh s medem]*

soda-water	**sodovka**	*[sodofka]*
juice	**džus**	*[dzhoos]*
- pineapple	**- ananasový**	*[ananasovee]*
- grapefruit	**- grepový**	*[grepovee]*
- apple	**- jablečný**	*[yablechnee]*
- raspberry	**- malinový**	*[malinovee]*
- orange	**- pomerančový**	*[pomeranchovee]*
- tomato	**- rajčatový**	*[raychatovee]*
- blackcurrant	**- z černého rybízu**	*[s cherneh-ho ribeezoo]*
tonic water	**tonik**	*[tonik]*
water	**voda**	*[voda]*
- mineral water	**- minerální**	*[minerahlnʸee]*
- tap water	**- z vodovodu**	*[z vodovodoo]*
- sparkling	**- s bublinkami**	*[s booblinkami]*
- still	**- bez bublinek**	*[bes booblinek]*
sugar	**kostka cukru**	*[kostka tsookroo]*
slice of lemon	**plátek citronu**	*[plahtek tsitrōnoo]*

SPECIAL FOOD
SPECIÁLNÍ STRAVA

I am on a diet.	**Mám dietu.**	*[mahm diyetoo]*
I am on a slimming diet.	**Držím odtučňovací kúru.**	*[drzheem ot-tooch-nʸovatsee kōōroo]*
I am a vegetarian.	**Jsem vegetarián.**	*[ysem vegetariyahn]*
I don't eat meat.	**Nejím maso.**	*[neyeem maso]*
I must not eat food containing ...	**Nesmím jíst nic v čem je ...**	*[nesmeem yeest nits v chem ye]*
- sugar	**- cukr**	*[tsookr]*
- milk	**- mléko**	*[mlehko]*
- flour	**- mouka**	*[mohka]*
Do you have ... for diabetics?	**Máte ... pro diabetiky?**	*[mahte pro diyabetiki]*
- desserts	**- zákusky**	*[zahkooski]*
- special menu	**- speciální jídla**	*[spetsiyahlnʸee yeedla]*
Have you got an artificial sweetener?	**Máte umělé sladidlo?**	*[mahte oomnʸeleh sladidlo]*

Have you got any dishes for children?	**Máte dětská jídla?**	*[mahte d^{y}etskah yeedla]*
Do you have any special diet meals?	**Máte dietní jídla?**	*[mahte diyetn^{y}ee yeedla]*
May I have cheese instead of dessert?	**Mohl bych si dát sýr místo dezertu?**	*[mo-h^{u}l bikh si daht seer meesto dezertoo]*
Just a small portion.	**Jen malou porci.**	*[yen maloh portsi]*

BILL
ÚČET

Bring me the bill, please.	**Přineste mi, prosím, účet.**	*[przhineste mi, proseem, ōōchet]*
Would you like one bill or separate bills?	**Mám účtovat vše společně nebo každému zvlášť?**	*[mahm ōōchtovat fshe spolechn^{y}e nebo kazhdehmoo zvlahsht^y]*
I had ...	**Já jsem měl ...**	*[yah ysem mn^{y}el]*
Here is your bill, please.	**Zde je Váš účet, prosím.**	*[zde ye vahsh ōō-chet proseem]*
Is service included?	**Zahrnuje to obsluhu?**	*[zahrnooye to opsloohoo]*
Is everything included?	**Je v tom všechno?**	*[ye v tom fshekhno]*
Would you like to pay in cash or by cheque?	**Chcete platit v hotovosti nebo šekem?**	*[khtsete plat^{y}it v hotovost^{y}i nebo shekem]*
Can I pay with this credit card?	**Mohu platit touto úvěrovou kartou?**	*[mohoo plat^{y}it tohto ōōvyerovoh kartoh]*
Can I pay in dollars?	**Mohu platit v dolarech?**	*[mohoo plat^{y}it v dolarekh]*
Please round it up to ...	**Můžete to zaokrouhlit na ...**	*[mōōzhete to zaokroh-hlit na]*
Keep the change.	**Nechte si drobné.**	*[nekhte si drobneh]*
That was delicious.	**To bylo vynikající.**	*[to bilo vin^{y}ikayee-tsee]*
I think there is a mistake in the bill.	**V tom účtu je asi chyba.**	*[v tom ōōchtoo ye asi khiba]*

COMPLAINTS
STÍŽNOSTI

Waiter, please, this table is wet.	**Pane vrchní, ten stůl je mokrý.**	*[pane vrkhn^{y}ee, ten stōōl ye mokree]*
Would you please bring us a clean tablecloth?	**Přinesete nám, prosím, čistý ubrus?**	*[przhinesete nahm, proseem chistee oobroos]*
Will you please wipe the table?	**Mohl byste nám utřít stůl?**	*[mohl biste nahm ootrzheet stōōl]*
There is ... missing.	**Tady chybí ...**	*[tadi khibee]*
- a spoon	**- lžíce**	*[lzheetse]*
- a teaspoon	**- lžička**	*[lzhichka]*
- a fork	**- vidlička**	*[vidlichka]*
- a knife	**- nůž**	*[nōōsh]*
- a napkin	**- ubrousek**	*[oobrohsek]*
- a cutlery	**- příbor**	*[przheebor]*
- a salt caster	**- solnička**	*[soln^{y}ichka]*
- salt	**- sůl**	*[sōōl]*
- a sugar caster	**- cukřenka**	*[tsookrzhenka]*
- sugar	**- cukr**	*[tsookr]*
- pepper	**- pepř**	*[peprzh]*
- toothpicks	**- párátka**	*[pahrahtka]*
- sugar tongs	**- kleště na cukr**	*[klesht^{y}e na tsookr]*
- a milk-jug	**- konvice s mlékem**	*[konvitse s mlehkem]*
- a chair	**- židle**	*[zhidle]*
This glass is dirty.	**Tato sklenice je špinavá.**	*[tato sklen^{y}itse ye shpinavah]*
There is lipstick on it.	**Je na ní rtěnka.**	*[ye na n^{y}ee rt^{y}enka]*
I'll get you a new one.	**Přinesu Vám novou.**	*[przhinesoo vahm novoh]*
This soup is cold.	**Polévka je studená.**	*[polehfka ye stoodenah]*
Waiter, we ordered our drinks 20 minutes ago.	**Pane vrchní, před 20 minutami jsme si objednali nápoje.**	*[pane vrkhn^{y}ee przhet dvatset^{y}i minootami ysme si obyednali nahpoye]*
The soup is too salty.	**Ta polévka je příliš slaná.**	*[ta polehfka ye przheelish slanah]*

I don't like to complain but this dish is uneatable.	**Nerad si stěžuji, ale tohle jídlo není poživatelné.**	*[nerad si st'ezhooyi, ale tohle yeedlo nen'ee pozhivatelneh]*
The meat is uncooked.	**Maso je nedodělané.**	*[maso ye nedod'elaneh]*
This isn't fresh.	**To není čerstvé.**	*[to nen'ee cherstveh]*
The wine doesn't taste right.	**To víno má divnou chuť.**	*[to veeno mah d'ivnoh khoot']*

MENU
JÍDELNÍ LÍSTEK

Aperitif	**Aperitiv**	*[aperitif]*
Dessert/ Sweets	**Dezert/ Zákusky**	*[dezert/ zahkooski]*
Dishes for children	**Dětská jídla**	*[d'etskah yeedla]*
Diet Dishes	**Dietní jídla**	*[diyetn'ee yeedla]*
Poultry	**Drůbež**	*[drōōbesh]*
Main Course	**Hlavní jídlo**	*[hlavn'ee yeedlo]*
Snacks/ Little meals	**Malá jídla**	*[malah yeedla]*
Fast Dishes	**Minutky**	*[minootki]*
Drinks	**Nápoje**	*[nahpoye]*
Fruit	**Ovoce**	*[ovotse]*
Soups	**Polévky**	*[polehfki]*
Soup of the day	**Polévka dne**	*[polehfka dne]*
Starters	**Předkrmy**	*[przhetkrmi]*
Side dishes	**Přílohy**	*[przheelohi]*
Fish	**Ryby**	*[ribi]*
Salads	**Saláty**	*[salahti]*
Cold meals	**Studená jídla**	*[stoodenah yeedla]*
Hot meals	**Teplá jídla**	*[teplah yeedla]*
Pasta	**Těstoviny**	*[t'estovini]*
Vegetable	**Zelenina**	*[zelen'ina]*
Ice cream	**Zmrzlina**	*[zmrzlina]*
Game	**Zvěřina**	*[zvyerzina]*

hotel	hotel	*[hotel]*
splendid hotel	luxusní hotel	*[looksoosn^yee hotel]*
coastal hotel	přímořský hotel	*[przheemorzhskee hotel]*
pension	penzion	*[penziyon]*
youth hostel	mládežnická ubytovna	*[mlahdezn^yitskah oobitovna]*
bed and breakfast	nocleh se snídaní	*[notslekh se sn^yeedan^yee]*
hotel-director	ředitel hotelu	*[rzhed^yitel hoteloo]*
hotel-keeper	majitel hotelu	*[mayitel hoteloo]*
hall porter	nosič zavazadel	*[nosich zavazadel]*
housekeeper	správce	*[sprahftse]*
desk clerk/ receptionist	recepční	*[retsepchn^yee]*
night porter	vrátný	*[vrahtnee]*
chambermaid	pokojská	*[pokoyskah]*
bellboy	obsluha výtahu	*[obslooha veeta-hoo]*

BAR	BAR	*[bar]*
SWEETSHOP	CUKRÁRNA	*[tsookrahrna]*
TEA-ROOM	ČAJOVNA	*[chayovna]*
PUB	HOSPODA	*[hospoda]*
INN	HOSTINEC	*[host^yinets]*
CAFÉ	KAVÁRNA	*[kavahrna]*
KIOSK	KIOSEK	*[kiyosek]*
NIGHT CLUB	NOČNÍ KLUB	*[nochn^yee kloop]*
FAMILY HOTEL	PENZION	*[penziyon]*
ALEHOUSE	PIVNICE	*[pivn^yitse]*
RESTAURANT	RESTAURACE	*[restaooratse]*
FAST FOOD/ TAKE AWAY	RYCHLÉ OBČERSTVENÍ	*[rikhleh opcherstven^yee]*
SELF-SERVICE STORE	SAMOOBSLUHA	*[samoobslooha]*
TAVERN	VINÁRNA	*[vinahrna]*
WINE CELLAR	VINNÝ SKLÍPEK	*[vinee skleepek]*

BANK
BANKA

Where is the nearest bank?	**Kde je nejbližší banka?**	*[gde ye neyblishee banka]*
Where is the nearest currency exchange office?	**Kde je nejbližší směnárna?**	*[gde ye neyblishee smn^{y}enahrna]*
When is the bank open?	**Kdy má banka otevřeno?**	*[gdi mah banka otevrzheno]*
How much do you wish to change?	**Kolik chcete vyměnit?**	*[kolik khtsete vimn^{y}en^{y}it]*
What's the present rate of exchange for the US dollar to the Czech crown?	**Jaký je dnes kurs amerického dolaru k české koruně?**	*[yakee ye dnes koors ameritskeh-ho dolaroo k cheskeh koroon^{y}e]*
The rate of US dollar dropped a bit yesterday.	**Kurs amerického dolaru včera trochu poklesl.**	*[koors ameritskeh-ho dolaroo vchera tro-khoo poklesl]*
Is this the official exchange rate?	**To je úřední kurs?**	*[to ye ōōrzhedn^{y}ee koorz]*
Give me change, please.	**Dejte mi drobné, prosím.**	*[deyte mi drobneh proseem]*
Give me large notes, please.	**Velké bankovky, prosím.**	*[velkeh bankofki proseem]*
Anything else?	**Ještě nějaké přání?**	*[yesht^{y}e n^{y}eyakeh przhahn^{y}i]*
I'd like to deposit my money in a bank.	**Chtěl bych si uložit peníze v bance.**	*[kht^{y}el bikh si oolo-zhit pen^{y}eeze v bantse]*
I'd like to open a bank account.	**Chtěl bych si otevřít účet.**	*[kht^{y}el bikh si otev-rzheet ōōchet]*
What kind of account would you like?	**Jaký druh účtu byste chtěl?**	*[yakee drookh ōōchtoo bis-te kht^{y}el]*
- a current account	**- běžný účet**	*[byezhnee ōōchet]*

- a saving account	**- spořící účet**	*[sporzheetsee ōōchet]*
You can use cash machines free of charge.	**Můžete bezplatně používat bankovní automaty.**	*[mōōzhete besplatn^{y}e pooozheevat bankovn^{y}ee aootomati]*
I'd like to withdraw money from my account No ...	**Chtěl bych si vybrat peníze z mého účtu číslo ...**	*[kht^{y}el bikh si vibrat pen^{y}eeze z mehho ōōchtoo cheeslo]*
I'd like to transfer money from my account No ... to the account No ...	**Chtěl bych převést peníze z mého účtu č. ... na účet č. ...**	*[kht^{y}el bikh przhevehst pen^{y}eeze z mehho ōōchtoo cheslo na ōōchet cheslo]*
I'd like to check the balance on my account.	**Chtěl bych zkontrolovat stav na mém účtu.**	*[kht^{y}el bikh skontrolovat staf na mehm ōōchtoo]*
I'd like to pay some money into the account No ...	**Chtěl bych uložit peníze na účet číslo ...**	*[kht^{y}el bikh oolozhit pen^{y}eeze na ōōchet cheslo]*
The cashier at counter No. 2 will help you.	**Obslouží Vás pokladník u přepážky č. 2.**	*[obslohzhee vahs pokladn^{y}eek oo przhepahshki cheslo dvye]*
Can I exchange Eurocheques here?	**Mohu tu proměnit Eurošeky?**	*[mohoo too promn^{y}en^{y}it eoorosheki]*

note	**bankovka**	*[bankofka]*
balance	**bilance/ stav**	*[bilantse/ staf]*
tax	**daň**	*[dan^y]*
invoice	**faktura**	*[faktoora]*
mortgage	**hypotéka**	*[hipotehka]*
investment	**investice**	*[investitse]*
currency	**měna**	*[mn^{y}ena]*
coin	**mince**	*[mintse]*
amount	**množství**	*[mnozhstvee]*
non-taxpayer	**neplatič daně**	*[neplat^{y}ich dan^{y}e]*
capital	**kapitál**	*[kapitahl]*
purchase	**koupě**	*[kohpye]*
taxpayer	**platič daní**	*[plat^{y}ich dan^{y}ee]*
bite/ share	**podíl**	*[pod^{y}eel]*
demand	**pohledávka**	*[pohledahfka]*

transfer	převod	*[przhevot]*
income	příjem	*[przheeyem]*
loan	půjčka	*[pōōychka]*
budget	rozpočet	*[rospochet]*
discount	sleva	*[sleva]*
convertible	směnitelná	*[smn^{y}en^{y}itelnah*
currency	měna	*mn^{y}ena]*
contract	smlouva	*[smlohva]*
payment	splátka	*[splahtka]*
cheque	šek	*[shek]*
interest	úrok	*[ōōrok]*
interest rate	úroková sazba	*[ōōrokovah sazba]*
deposit	vklad	*[fklat]*
expenses	výlohy	*[veelohi]*
loss	ztráta	*[strahta]*
profit	zisk	*[zisk]*

COUNTRY STÁT	CURRENCY MĚNA	
Austria	Euro	1 EUR = 100 cents
Belgium	Euro	1 EUR = 100 cents
Denmark	Danish krone	1 kr = 100 øre
Finland	Euro	1 EUR = 100 cents
France	Euro	1 EUR = 100 cents
Germany	Euro	1 EUR = 100 cents
Greece	Euro	1 EUR = 100 cents
Ireland	Euro	1 EUR = 100 cents
Italy	Euro	1 EUR = 100 cents
Luxembourg	Euro	1 EUR = 100 cents
Netherlands	Gulden	1 gld = 100 cents
Norway	Norwegian krone	1 kr = 100 øre
Poland	Złoty	1 zł = 100 groszy
Spain	Euro	1 EUR = 100 cents
Sweden	Swedish krona	1 kr = 100 öre
UK	Pound sterling	£ 1 = 100 pence
USA	US Dollar	$ 1 = 100 cents

POST OFFICE
POŠTA

Where is the nearest post office?	**Kde je nejbližší pošta?**	*[gde ye neyblishee poshta]*
Where is the main post office?	**Kde je hlavní pošta?**	*[gde ye hlavn^{y}ee poshta]*
What time does the post office open/close?	**V kolik hodin otevírají/ zavírají na poště?**	*[v kolik hod^{y}in oteveerayee/ zaveerayee na posht^{y}e]*
Here is your mail.	**Tady máte poštu.**	*[tadi mahte poshtoo]*
How much is the stamp for a post-card to England?	**Kolik stojí známka na pohlednici do Anglie?**	*[kolik stoyee znahmka na pohledn^{y}itsi do angliye]*
Where is a letter-box?	**Kde je poštovní schránka?**	*[gde ye poshtovn^{y}ee skhrahnka]*
I would like to send this letter ...	**Chtěl bych odeslat tento dopis ...**	*[kht^{y}el bikh odeslat tento dopis]*
- by registered mail	**- doporučeně**	*[doporoochen^{y}e]*
- express	**- expres**	*[ekspres]*
- by airmail	**- letecky**	*[letetski]*
I'd like to send ...	**Chtěl bych poslat ...**	*[kht^{y}el bikh poslat]*
- a telegram	**- telegram**	*[telegram]*
- a parcel	**- balík**	*[baleek]*
- money	**- peníze**	*[pen^{y}eeze]*
Please fill in the receipt for registered mail/ money order.	**Vyplňte podací lístek/ peněžní poukázku.**	*[vipln^{y}te podatsee leestek/ pen^{y}ezhn^{y}ee poookahskoo]*
What counter shall I go to?	**Ke kterému okénku mám jít?**	*[ke kterehmoo okehnkoo mahm yeet]*
How much is the postage?	**Jaké bude poštovné?**	*[yakeh boode poshtovneh]*
Give me a dispatch note, please.	**Dejte mi, prosím, průvodku na balík.**	*[deyte mi proseem prōōvotkoo na baleek]*
Abroad or in this country?	**Do ciziny nebo do tuzemska?**	*[do tsizini nebo do toozemska]*

Can you weigh this parcel, please?	**Zvažte mi, prosím, tenhle balík.**	*[zvashte mi proseem tenhle baleek]*
May I have a form for sending a telegram?	**Dáte mi formulář pro poslání telegramu?**	*[dahte mi formoolah-rzh pro poslahn^{y}ee telegramoo]*
How long will a cable to Boston take?	**Jak dlouho to půjde do Bostonu?**	*[yak dloh-ho to pōōyde do Bostnoo]*

address	**adresa**	*[adresa]*
- return address	**- zpáteční**	*[spahtechn^{y}ee]*
- address of the recipient	**- příjemce**	*[przheeyemtse]*
parcel	**balík**	*[baleek]*
post-office	**do vlastních**	*[do vlastn^{y}eekh*
special delivery	**rukou**	*rookoh]*
C.O.D./ cash on delivery	**dobírka**	*[dobeerka]*
letter box	**dopisní schránka**	*[dopisn^{y}ee skhrahnka]*
to correspond	**dopisovat si**	*[dopisovat si]*
additional payment	**doplatek**	*[doplatek]*
letter	**dopis**	*[dopis]*
- registered letter	**- doporučený**	*[doporoochenee]*
- insured letter	**- cenný**	*[tsenee]*
- express	**- expres**	*[ekspres]*
to receive	**dostat**	*[dostat]*
private and confidential	**důvěrné a tajné**	*[dōōvyerneh a tayneh]*
express/ special delivery	**expres**	*[ekspres]*
form	**formulář**	*[formoolahrzh]*
to frank	**frankovat**	*[frankovat]*
If undelivered, return to the sender.	**Jestliže nelze doručit, vraťte odesílateli.**	*[yestlizhe nelze do-roochit, vrat^{y}te ode-seelateli]*
correspondence	**korespondence**	*[korespondentse]*
place of destination	**místo určení**	*[meesto oorche-n^{y}ee]*
by air	**letecky**	*[letetski]*

envelope	obálka	*[obahlka]*
SAE/ a self addressed envelope	frankovaná/ zpáteční	*[frankovanah/ spahtechnʸee]*
by return mail	obratem pošty	*[obratem poshti]*
sender	odesílatel	*[odeseelatel]*
remittance	peněžní zásilka	*[penʸeznʸee zahsilka]*
receipt for registered mail	podací lístek	*[podatsee leestek]*
postcard	pohlednice	*[pohlednʸitse]*
fee/ charge	poplatek	*[poplatek]*
to send/ to mail	posílat	*[poseelat]*
post office	pošta	*[poshta]*
postage	poštovné	*[poshtovneh]*
postal order	poštovní poukázka	*[poshtovnʸee poookahska]*
dispatch note/ registration form	poštovní průvodka	*[poshtovnʸee prōōvotka]*
P.O.BOX/ post office box	poštovní přihrádka	*[poshtovnʸee przhihrahtka]*
post stamp	poštovní razítko	*[poshtovnʸee razeetko]*
postage stamp	poštovní známka	*[poshtovnʸee znahmka]*
Attention, fragile!	Pozor, křehké!	*[pozor krzhekhkeh]*
recipient	příjemce	*[przheeyemtse]*
enclosure	příloha	*[przeeloha]*
strictly secret	přísně tajné	*[przheesnʸe tayneh]*
letter box/ mail box (am.)	schránka na dopisy	*[skhrahnka na dopisi]*
deposit slip	složenka	*[slozhenka]*
postcode	směrovací číslo	*[smnʸerovatsee cheeslo]*
express/ urgent	spěšně	*[spyeshnʸe]*
receipt	stvrzenka	*[stvrzenka]*
telegram	telegram	*[telegram]*
form	tiskopis	*[tʸiskopis]*
weight	váha	*[vahha]*
to send	zaslat	*[zaslat]*
open this end	zde otevřít	*[zde otevrzheet]*

TELEPHONE
TELEFON

Where can I phone from?	**Odkud se dá telefonovat?**	*[otkoot se dah telefonovat]*
Is there a public call/ telephone box nearby?	**Je tu někde poblíž telefonní budka?**	*[ye too n^{y}egde po-bleesh telefon^{y}ee bootka]*
I'd like to make an intercity/ long-distance call to London.	**Chtěl bych usku-tečnit meziměstský hovor do Londýna.**	*[kht^{y}el bikh ooskoo-techn^{y}it mezimn^{y}est-skee hovor do londeena]*
What's the dialling (area) code for London?	**Jaký je volací kód do Londýna?**	*[yakee ye volatsee kōt do londeena]*
Can I call abroad from this phone?	**Mohu odtud volat do ciziny?**	*[mohoo ottoot volat do tsizini]*
Do you have a tele-phone directory?	**Máte telefonní seznam?**	*[mahte telefon^{y}ee seznam]*
I want to make a call to the Czech Republic.	**Chci volat do Čech.**	*[khtsi volat do chekh]*
How much is one minute?	**Kolik stojí 1 minuta hovoru?**	*[kolik stoyee yedna minoota hovoroo]*
Which booth shall I go to?	**Do které kabiny mám jít?**	*[do ktereh kabini mahm yeet]*
Shall I give you a ring?	**Mám ti zavolat?**	*[mahm t^{y}i zavolat]*
What's your telephone number?	**Jaké máte telefonní číslo?**	*[yakeh mahte telefon^{y}ee cheslo]*
Hallo, this is ...	**Haló, tady ...**	*[halō tadi]*
Who is speaking, please?	**Kdo volá?**	*[gdo volah]*
I'd like to speak to Mrs ...	**Chtěl bych mluvit s paní ...**	*[kht^{y}el bikh mloovit s pan^{y}ee]*
Don't hang up the receiver.	**Nezavěšujte, prosím.**	*[nezavyeshooyte, proseem]*

The number is engaged/ busy.	**Číslo je obsazené.**	*[cheeslo ye opsaženeh]*
There is no reply/ answer.	**Nikdo se nehlásí.**	*[n^{y}igdo se nehlahsee]*
Would you give her a message?	**Mohla byste jí něco vyřídit?**	*[mohla bis-te yee n^{y}etso virzheed^{y}it]*
Hallo, am I speaking to Mr. Novak?	**Mluvím s panem Novákem?**	*[mlooveem s panem novahkem]*
I'll turn you over to him.	**Předám Vám ho.**	*[przhedahm vahm ho]*
No, you must have a wrong number.	**Ne, určitě máte špatné číslo.**	*[ne oorchit^{y}e mahte shpatneh cheeslo]*
I will call later.	**Zavolám později.**	*[zavolahm pozd^{y}eyi]*
Call me back, please.	**Zavolejte mi zpět, prosím!**	*[zavoleyte mi spyet, proseem]*
I'll put your telephone number down.	**Poznamenám si Vaše telefonní číslo.**	*[poznamenahm si vashe telefon^{y}ee cheeslo]*
Hallo, is Mrs. Nova there?	**Je tam paní Nová?**	*[ye tam pan^{y}ee novah]*
It's me again.	**To jsem opět já.**	*[to ysem opyet yah]*
I am sorry, we were cut off.	**Promiňte, byli jsme přerušeni.**	*[promin^{y}te bili ysme przherooshen^{y}i]*
The connection is very bad.	**Spojení je velmi špatné.**	*[spoyen^{y}ee ye velmi shpatneh]*
Speak a little louder.	**Mluvte hlasitěji.**	*[mloovte hlasit^{y}eyi]*
I can hardly hear you.	**Je Vás špatně slyšet.**	*[ye vahs shpatn^{y}e slishet]*
Hallo, is this the operator?	**Haló, ústředna?**	*[halō, ōōstrzhedna]*
I would like Prague, number ...	**Chtěla bych Prahu, číslo ...**	*[kht^{y}ela bikh prahoo chesloo]*
I'm afraid you've given me the wrong extension.	**Dala jste mi špatnou linku.**	*[dala yste mi shpatnoh linkoo]*
Reverse the charge/ collect call, please.	**Na účet volaného.**	*[na ōōchet volanehho]*
Hang up.	**Zavěste.**	*[zavyeste]*

to be cut off	**byt přerušen**	*[beet przherooshen]*
extension number	**klapka**	*[klapka]*
to hold on	**nezavěšovat**	*[nezavyeshovat]*
to replace the receiver; to put down/ hang up the receiver	**položit sluchátko**	*[polozhit slookhahtko]*
dialling code	**směrové číslo**	*[smn^{y}eroveh cheeslo]*
- area code	**- městské**	*[mn^{y}estskeh]*
- country code	**- státní**	*[stahtn^{y}ee]*
to put sb. through to sb.	**spojit někoho s někým**	*[spoyit n^{y}ekoho s n^{y}ekeem]*
telephone number	**telefonní číslo**	*[telefon^{y}ee cheeslo]*
(telephone) call	**telefonní hovor**	*[telefon^{y}ee hovor]*
- long distance/ intercity call	**- meziměstský**	*[mezimn^{y}estskee]*
- international call	**- mezinárodní**	*[mezinahrodn^{y}ee]*
- local call	**- místní**	*[meestn^{y}ee]*
telephone directory	**telefonní seznam**	*[telefon^{y}ee seznam]*
public telephone/ call box	**telefonní budka**	*[telefon^{y}ee bootka]*
to phone	**telefonovat**	*[telefonovat]*
tone	**tón**	*[tōn]*
- dialling tone	**- funkční**	*[foonkchn^{y}ee]*
- engaged tone	**- obsazovací**	*[opsazovatsee]*
- ringing tone	**- volací**	*[volatsee]*
to charge the call	**účtovat hovor**	*[ōōchtovat hovor]*
to reverse the charge call	**účtovat hovor volanému**	*[ōōchtovat hovor volanehmoo]*
to insert a coin	**vložit minci**	*[vlozhit mintsi]*
to dial the number	**vytočit číslo**	*[vitochit cheeslo]*
to call sb.	**zavolat**	*[zavolat]*
to lift up the receiver	**zvednout sluchátko**	*[zvednoht slookhahtko]*

SHOPPING
NAKUPOVÁNÍ

Laundry	čistírna	*[chist^{y}eerna]*
Confectioner's	cukrárna	*[tsookrahrna]*
Gifts	dárky	*[dahrki]*
Accessories	doplňky	*[dopln^{y}ki]*
Chemist's	drogerie	*[drogehriye]*
Electrical appliances	elektropotřeby	*[elektropotrzebi]*
Haberdasher's	galanterie	*[galanteriye]*
Watchmaker's	hodinářství	*[hod^{y}inahrzhstvee]*
Barber's	holičství	*[holichstvee]*
Toys	hračky	*[hrachki]*
Music	hudba	*[hoodba]*
Hairdresser's	kadeřnictví	*[kaderzhn^{y}itstvee]*
Jeweller's	klenotnictví	*[klenotn^{y}itstvee]*
Bookstore	knihkupectví	*[kn^{y}ikh-koopetstvee]*
Ready-made clothes	konfekce	*[konfektse]*
Leather goods	kožené zboží	*[kozheneh zbozhee]*
Furriery	kožešiny	*[kozheshini]*
Tailor's	krejčovství	*[kreychofstvee]*
Flower shop	květinářství	*[kvyet^{y}inahrzhstvee]*
Cloth	látky	*[lahtki]*
Chemist's/ Pharmacy	lékárna	*[lehkahrna]*
Dairy	mlékárna	*[mlehkahrna]*
Furniture	nábytek	*[nahbitek]*
Newsstand	novinový stánek	*[novinovee stahnek]*
Refreshment	občerstvení	*[opcherstven^{y}ee]*
Shoes	obuv	*[oboof]*
Clothing	oděvy	*[od^{y}evi]*
- Men's wear	- pánské	*[pahnskeh]*
- Ladies' wear	- dámské	*[dahmskeh]*

- Children's wear	- dětské	*[ďetskeh]*
Optician	optik	*[optik]*
Fruit-vegetables	ovoce-zelenina	*[ovotse zelenʸina]*
Stationer's	papírnictví	*[papeernitstvee]*
Perfumes	parfumerie	*[parfoomeriye]*
Bakery	pekařství	*[pekarzhstvee]*
China/ Porcelain	porcelán	*[portselahn]*
Grocer's	potraviny	*[potravini]*
Household goods	potřeby pro domácnost	*[potrzhebi pro domahtsnost]*
Underwear	prádlo	*[prahdlo]*
Fishmonger's	rybárna	*[ribahrna]*
Butcher's	řeznictví	*[rzheznitstvee]*
Beauty salon	salón krásy	*[salōn krahsi]*
Supermarket	samoobsluha	*[samoobslooha]*
Glassware	sklo	*[sklo]*
Sports equipment	sportovní potřeby	*[sportovnʸee potrzhebi]*
Antique shop	starožitnictví	*[starozhitnʸitstvee]*
Souvenir shop	suvenýry	*[sooveneeri]*
Newsagent's	trafika	*[trafika]*
Art gallery	umělecká galerie	*[oomnʸeletskah galeriye]*
Goldsmith store	zlatnictví	*[zlatnʸitstvee]*

I'd like to go window shopping.	**Ráda bych si šla prohlédnout výklady.**	*[rahda bikh si shla prohlehdnoht veekladi]*
I must go shopping.	**Musím jít nakoupit.**	*[mooseem yeet nakohpit]*
Is there anywhere a department store?	**Je tu někde obchodní dům?**	*[ye too nʸegde op-khodnʸee dōōm]*
What time do the shops close?	**V kolik hodin zavírají obchody?**	*[v kolik hoďin za-veerayee opkhodi]*
I want to buy ...	**Chci si koupit ...**	*[khtsi si kohpit]*
You have to queue up for it.	**Musíte si na to počkat ve frontě.**	*[mooseete si na to pochkat ve frontʸe]*

IN A SHOP
V OBCHODĚ

Can I help you?	**Mohu Vám pomoci?**	*[mohoo vahm pomotsi]*
What can I do for you?	**Čím mohu posloužit?**	*[cheem mohoo poslohzhit]*
What would you like?	**Co si přejete?**	*[tso si przheyete]*
Are you looking for anything special?	**Hledáte něco určitého?**	*[hledahte nʸetso oorchiteh-ho]*
I'd like ...	**Chtěl bych ...**	*[khtʸel bikh]*
I am looking for ...	**Hledám ...**	*[hledahm]*
I need ...	**Potřebuji ...**	*[potrzhebooyi]*
Would you show me ...	**Ukažte mi, prosím ...**	*[ookashte mi proseem]*
Do you have ...?	**Vedete ...?**	*[vedete]*
Where can I find ...?	**Kde najdu ...?**	*[gde naydoo]*
I'd like to have a look at ...	**Chtěl bych se podívat na ...**	*[khtʸel bikh se podʸeevat na]*
Do you have ...?	**Máte ...?**	*[mahte]*
Excuse me for a minute, I'll have a look in the stockroom.	**Promiňte na chvilku podívám se do skladu.**	*[prominʸte na khvilkoo podʸeevahm se do skladoo]*
The goods are out of stock.	**Toto zboží je vyprodáno.**	*[toto zbozhee ye viprodahno]*
We've got a great variety of goods.	**Máme velký výběr zboží.**	*[mahme velkee veebyer zbozhee]*
How much is it?	**Kolik to stojí?**	*[kolik to stoyee]*
It's cheap.	**To je laciné.**	*[to ye latsineh]*
It's expensive.	**To je drahé.**	*[to ye draheh]*
Have you got anything cheaper?	**Nemáte něco levnějšího?**	*[nemahte nʸetso levnʸeysheeho]*
There is a fixed price for these goods.	**Na toto zboží je pevná cena.**	*[na toto zbozhee ye pevnah tsena]*
It's not quite what I want.	**To není to, co chci.**	*[to nenʸee to, tso khtsi]*
I'll take it.	**Vezmu si to.**	*[vezmoo si to]*

Is there a guarantee on this?	**Je na to záruka?**	*[ye na to zahrooka]*
The Guarantee Certificate is not filled in.	**Záruční list není vyplněn.**	*[zahroochn^{y}ee list nen^{y}ee vipln^{y}en]*
Have you got any other wishes?	**Máte ještě nějaká přání?**	*[mahte yesht^{y}e n^{y}e-yakah przhahn^{y}ee]*
Could you give me a plastic bag, please?	**Můžete mi, prosím, dát tašku?**	*[mōōzhete mi pro-seem dat tashkoo]*
Could you wrap it up for me, please?	**Můžete mi to, prosím, zabalit?**	*[mōōzhete mi to proseem zabalit]*
Pay at the cash-desk, please.	**Zaplaťte, prosím, u pokladny.**	*[zaplat^{y}te proseem oo pokladni]*
I need a receipt for the tax refund.	**Potřebuji potvrzení pro daňovou slevu.**	*[potrzhebooyi po-tvrzen^{y}ee pro dan^{y}ovoh slevoo]*
Can I pay ...?	**Můžu platit ...?**	*[mōōzhoo plat^{y}it]*
- by traveller's cheque	**- cestovním šekem**	*[tsestovn^{y}eem shekem]*
- by credit card	**- úvěrovou kartou**	*[ōōvyerovoh kartoh]*
- in cash	**- v hotovosti**	*[v hotovost^{y}i]*
Have you got the exact amount?	**Máte to přesně?**	*[mahte to przhes-n^{y}e]*
Have you got any change?	**Máte drobné?**	*[mahte drobneh]*
Yesterday I bought this ... here and it isn't working anymore.	**Včera jsem tu koupil tento ... a už to nefunguje.**	*[vchera ysem too kohpil tento a oosh to nefoongooye]*
Is it still under guarantee?	**Je to ještě v záruce?**	*[ye to yesht^{y}e v zahrootse]*
We will repair it free if it's still under guarantee.	**Opravíme to bezplatně, jestli je to v záruce.**	*[opraveeme to bes-platn^{y}e yestli ye to v zahrootse]*
Can you exchange it for me or will you give me a refund?	**Vyměníte mi to nebo mi dáte zpátky peníze?**	*[vimn^{y}en^{y}eete mi to nebo mi dahte spahtki pen^{y}eeze]*

CHEMIST'S / PHARMACY
LÉKÁRNA

Where's the nearest chemist's?	**Kde je nejbližší lékárna?**	*[gde ye neyblishee lehkahrna]*
Where do you sell drugs on/ without prescription?	**Kde prodáváte léky na recept/ bez receptu?**	*[gde prodahvahte lehki na retsept/ bes retseptoo]*
I'd like ...	**Chtěl/a bych ...**	*[kht^{y}ela bikh]*
- an aspirin	**- acylpirin**	*[atsilpirin]*
- some disinfectant	**- desinfekci**	*[dezinfektsi]*
- nose drops	**- kapky do nosu**	*[kapki do nosoo]*
- ear drops	**- kapky do uší**	*[kapki do ooshee]*
- gargle	**- kloktadlo**	*[kloktadlo]*
- (sticking) plaster	**- náplast**	*[nahplast]*
- bandage	**- obvaz**	*[obvas]*
- insect spray	**- postřik proti hmyzu**	*[postrzhik prot^{y}i hmizoo]*
- sleeping pills	**- prášky na spaní**	*[prahshki na span^{y}ee]*
- laxative	**- projímadlo**	*[proyeemadlo]*
- tampons	**- tampóny**	*[tampōni]*
- a thermometer	**- teploměr**	*[teplomn^{y}er]*
- analgesic	**- utišovací prostředky**	*[oot^{y}ishovatsee prostrzhetki]*
- sanitary towels	**- vložky**	*[vloshki]*
I would like something for ...	**Potřebuji něco proti ...**	*[potrzhebooyi n^{y}etso prot^{y}i]*
- headache	**- bolení hlavy**	*[bolen^{y}ee hlavi]*
- toothache	**- bolení zubů**	*[bolen^{y}ee zoobōō]*
- pains	**- bolestem**	*[bolestekh]*
- a cough	**- kašli**	*[kashli]*
- insect bites	**- kousnutí hmyzem**	*[kohsnoot^{y}ee hmizem]*
- insomnia	**- nespavosti**	*[nespavost^{y}i]*
- diarrhoea	**- průjmu**	*[prōōymoo]*
- a cold	**- rýmě**	*[reemn^{y}e]*
- hay fever	**- senné rýmě**	*[seneh reemn^{y}e]*
- an upset stomach	**- žaludeční nevolnosti**	*[zhaloodechn^{y}ee nevolnost^{y}i]*
- sunburn	**- spálení sluncem**	*[spahlen^{y}ee sloontsem]*

How should I use the drugs/ medicine?	**Jak mám ty léky užívat?**	*[yak mahm tı lehkı oozheevat]*
Take one pill.	**Berte jednu tabletu.**	*[berte yednoo tabletoo]*
- every eight hours	**- po osmi hodinách**	*[po osmi hoďinahkh]*
- three times a day	**- třikrát denně**	*[trzhikraht den'e]*
- before meal	**- před jídlem**	*[przhet yeedlem]*
- on an empty stomach	**- nalačno**	*[nalachno]*
FOR EXTERNAL USE ONLY	**JEN PRO VNĚJŠÍ POUŽITÍ**	*[yen pro vn'eyshee pooozhiťee]*

DROGERIE

DRUGSTORE

I am looking for a colour shampoo.	**Hledám tónovací šampón.**	*[hledahm tōnova-tsee shampōn]*
I'd like ...	**Chtěl/a bych ...**	*[khťela bikh]*
- a razor	**- břitvu**	*[brzhitvoo]*
- a sponge	**- houbu**	*[hohboo]*
- a comb	**- hřeben**	*[hrzheben]*
- a hairbrush	**- kartáč na vlasy**	*[kartah-ch na vlasi]*
- a toothbrush	**- kartáček na zuby**	*[kartah-chek na zoobi]*
- some nail clippers	**- kleště na nehty**	*[kleshťe na nekhti]*
- a toilet water	**- kolínskou vodu**	*[koleenskoh vodoo]*
- a bath salt	**- koupelovou sůl**	*[kohpelovoh sōōl]*
- a bath oil	**- koupelový olej**	*[kohpelovee oley]*
- a cleansing cream	**- čistící krém**	*[chisťeetsee krehm]*
- a foundation cream	**- podkladový krém**	*[potkladovee krehm]*
- a moisturizing cream	**- výživný krém**	*[veezhivnee krehm]*
- a sun-tan cream	**- krém na opalování**	*[krehm na opalovan'ee]*
- a hand cream	**- krém na ruce**	*[krehm na rootse]*
- a nail polish	**- lak na nehty**	*[lak na nekhti]*
- a hair spray	**- lak na vlasy**	*[lak na vlasi]*
- some soaps	**- mýdlo**	*[meedlo]*
- a shaving cream	**- pěna na holení**	*[pyena na holen'ee]*
- some curlers	**- natáčky**	*[natahchki]*

- an eye shadow	**- oční stíny**	*[ochn^{y}ee st^{y}eeni]*
- a perfume	**- parfém**	*[parfehm]*
- a nail file	**- pilník na nehty**	*[piln^{y}eek na nekhti]*
- hairpins	**- pinetky**	*[pinetki]*
- tweezers	**- pinsetu**	*[pinzetoo]*
- a bubble bath	**- pěnu do koupele**	*[pyenoo do kohpele]*
- a powder	**- pudr**	*[poodr]*
- a lipstick	**- rtěnku**	*[rt^{y}enkoo]*
- hairgrips	**- sponky**	*[sponki]*
- a shampoo	**- šampón**	*[shampōn]*
- for greasy hair	**- na mastné vlasy**	*[na mastneh vlasi]*
- for dry hair	**- na suché vlasy**	*[na sookheh vlasi]*
- toilet paper	**- toaletní papír**	*[toaletn^{y}ee papeer]*
- a setting lotion	**- tužidlo na vlasy**	*[toozhidlo na vlasi]*
- an eyebrow pencil	**- tužku na obočí**	*[tooshkoo na obochee]*
- napkins	**- ubrousky**	*[oobrohski]*
- an after-shave lotion	**- vodu po holení**	*[vodoo po holen^{y}ee]*
- a toothpaste	**- zubní pastu**	*[zoobn^{y}ee pastoo]*
- a talcum powder	**- zásyp**	*[zahsip]*
- a hair slide	**- zavírací sponku do vlasů**	*[zaveeratsee sponkoo do vlasōō]*
- razor blades	**- žiletky**	*[zhiletki]*

PHOTOGRAPHIC AND CINEMA ARTICLES
FOTOPOTŘEBY

I'd like a ... film for this camera.	**Chtěla bych ... film do tohoto fotoaparátu.**	*[kht^{y}ela bikh film do tohoto fotoaparahtoo]*
- black and white	**- černo-bílý**	*[cherno beelee]*
- colour	**- barevný**	*[barevnee]*
How much do you charge for processing?	**Kolik stojí vyvolání filmu?**	*[kolik stoyee vivolahn^{y}ee filmoo]*
I'd like to have my film developed.	**Chtěla bych si nechat vyvolat film.**	*[kht^{y}ela bikh si nekhat vivolat film]*
Could you enlarge this picture?	**Můžete zvětšit tuto fotografii?**	*[mōōzhete zvyetshit tooto fotografiyi]*

CLOTHING STORE
ODĚVY

I would like ...	**Chtěl/a bych ...**	*[khtʸel/a bikh]*
- jeans	**- džíny**	*[dzheeni]*
- a blouse	**- halenku**	*[halenkoo]*
- a long/ short sleeved blouse	**- s dlouhým/ krátkým rukávem**	*[s dloh-heem/ kraht-keem rookahvem]*
- a coat	**- kabát**	*[kabaht]*
- trousers/ pants	**- kalhoty**	*[kalhoti]*
- panties	**- kalhotky**	*[kalhotki]*
- a costume	**- kostým**	*[kosteem]*
- a shirt	**- košili**	*[koshili]*
- a furcoat	**- kožich**	*[kozhikh]*
- a bow tie	**- motýlka**	*[moteelka]*
- a suit	**- oblek**	*[oblek]*
- a raincoat	**- plášť do deště**	*[plahshtʸ do deshtʸe]*
- swimming trunks	**- plavky**	*[plafki]*
- kneesocks	**- podkolenky**	*[potkolenki]*
- a bra	**- podprsenku**	*[potprsenkoo]*
- socks	**- ponožky**	*[ponoshki]*
- tights	**- punčocháče**	*[poonchokhahche]*
- pyjamas	**- pyžamo**	*[pizhamo]*
- gloves	**- rukavice**	*[rookavitse]*
- a jacket	**- sako**	*[sako]*
- a skirt	**- sukni**	*[sooknʸi]*
- a full skirt	**- širokou**	*[shirokoh]*
- a straight skirt	**- úzkou**	*[ōōskoh]*
- a pullover	**- svetr**	*[svetr]*
- a scarf	**- šálu**	*[shahloo]*
- a dress	**- šaty**	*[shati]*
- a cocktail dress	**- koktejlové šaty**	*[kokteyloveh shati]*
- a summer dress	**- letní šaty**	*[letnʸee shati]*
- a wedding dress	**- svatební šaty**	*[svatebnʸee shati]*
- an evening dress	**- večerní šaty**	*[vechernʸee shati]*
- shorts	**- šortky**	*[shortki]*
- a T-shirt	**- tričko**	*[trichko]*
- a tie	**- vázanku**	*[vahzankoo]*
- a waistcoat	**- vestu**	*[vestoo]*

- an anorak	**- větrovku**	*[vyetrofkoo]*
I'd like some trousers for a two--year-old boy.	**Chtěl bych kalhoty pro dvouletého chlapce.**	*[kht^{y}el bikh kalhoti pro dvohleteh-ho khlaptse]*
I have got size 38.	**Mám velikost 38.**	*[mahm velikost trzhitset osoom]*
Have you got any other colour?	**Máte nějakou jinou barvu?**	*[mahte n^{y}eyakoh yinoh barvoo]*
I'd like a lighter/ darker shadow.	**Chtěl bych světlejší/ tmavší odstín.**	*[kht^{y}el bikh svyetleyshee/ tmavshee otst^{y}een]*
We have got this skirt in all sizes.	**Tuto sukni máme ve všech velikostech.**	*[tooto sookn^{y}i mahme ve fshekh velikostekh]*
I will think it over.	**Rozmyslím si to.**	*[rozmisleem si to]*
How do you like this yellow dress?	**Jak se Vám líbí tyto žluté šaty?**	*[yak se vahm leebee tito zhlooteh shati]*
May I try it on?	**Mohu si to zkusit?**	*[mohoo si to skoosit]*
Yes. The fitting rooms are over there.	**Ano. Tam je zkušební kabina.**	*[ano tam ye skooshebn^{y}ee kabina]*
Is here a mirror?	**Je tady zrcadlo?**	*[ye tadi zrtsadlo]*
The skirt fits you very well.	**Sukně Vám dobře padne.**	*[sookn^{y}e vahm dobrzhe padne]*
It fits well, I'll take it.	**Sedí dobře, vezmu je.**	*[sed^{y}ee dobrzhe, vezmoo ye]*
Is that ...?	**Je to ...?**	*[ye to]*
- handmade	**- ruční práce**	*[roochn^{y}ee prahtse]*
- imported	**- z dovozu**	*[s dovozoo]*
- made here	**- tuzemský**	*[toozemskee]*
Will it shrink?	**Sráží se to?**	*[srahzhee se to]*
Is it ...?	**Je to ...?**	*[ye to]*
- pure cotton/ wool	**- čistá bavlna/ vlna**	*[chistah bavlna/ vlna]*
- synthetic	**- syntetické**	*[sintetitskeh]*
- colour fast	**- stálobarevné**	*[stahlobarevneh]*
- wrinkle resistant	**- nemačkavé**	*[nemachkaveh]*
- water repellent	**- nepromokavé**	*[nepromokaveh]*
- shrink resistant	**- nesrážející se**	*[nesrahzheyeetsee se]*
- hand washable	**- praní v ruce**	*[pran^{y}ee v rootse]*
- machine washable	**- praní v pračce**	*[pran^{y}ee v prachtse]*

It's too ...	**Je mi to příliš ...**	*[ye mi to przheelish]*
- tight	**- těsné**	*[t^{y}esneh]*
- loose	**- volné**	*[volneh]*
- big	**- velké**	*[velkeh]*
- small	**- malé**	*[maleh]*
I don't like the shape/ tailoring.	**Nelíbí se mi tvar/ provedení.**	*[neleebee se mi tvar/ proveden^{y}ee]*

What material is it from?	**Z jakého je to materiálu?**	*[z yakeh-ho ye to materiyahloo]*
satin	**atlas**	*[atlas]*
cambric	**batist**	*[batist]*
cotton	**bavlna**	*[bavlna]*
pure silk	**čisté hedvábí**	*[chisteh hedvahbee]*
denim	**džínsovina**	*[dzheensovina]*
flannel	**flanel**	*[flanel]*
towelling	**froté**	*[froteh]*
lace	**krajka**	*[kruyka]*
stretch-nylon	**krepsilon**	*[krepsilon]*
leather	**kůže**	*[kōōzhe]*
corduroy	**manšestr**	*[manshestr]*
linen	**plátno**	*[plahtno]*
knitted fabric	**pletenina**	*[pleten^{y}ina]*
natural fibres	**přírodní vlákna**	*[przheerodn^{y}ee vlahkna]*
velvet	**samet**	*[samet]*
satin	**satén**	*[satehn]*
suede	**semiš**	*[semish]*
rayon	**umělé hedvábí**	*[oomn^{y}eleh hedvahbee]*
wool	**vlna**	*[vlna]*

self coloured	**jednobarevný**	*[yednobarevnee]*
checked	**kostkovaný**	*[kostkovanee]*
flowered	**květovaný**	*[kvyetovanee]*
striped	**pruhovaný**	*[proohovanee]*
with polka dots	**s puntíky**	*[s poont^{y}eeki]*
patterned	**vzorovaný**	*[vzorovanee]*

beige	**béžový**	*[behzhovee]*
white	**bílý**	*[beelee]*
black	**černý**	*[chernee]*
red	**červený**	*[chervenee]*
violet	**fialový**	*[fi-yalovee]*
brown	**hnědý**	*[hn^{y}edee]*
lilac	**lila**	*[lila]*
blue	**modrý**	*[modree]*
orange	**oranžový**	*[oranzhovee]*
pink	**růžový**	*[rōōzhovee]*
silver	**stříbrný**	*[strzheebrnee]*
grey	**šedý**	*[shedee]*
green	**zelený**	*[zelenee]*
gold	**zlatý**	*[zlatee]*
yellow	**žlutý**	*[zhlootee]*
light	**světlý**	*[svyetlee]*
dark	**tmavý**	*[tmavee]*

SHOES
OBUV

I'd like a pair of ...	**Chtěl/a bych pár ...**	*[kht^{y}el/a bikh pahr]*
- rain boots	**- holínek**	*[holeenek]*
- Cossack boots	**- kozaček**	*[kozachek]*
- court shoes	**- lodiček**	*[lod^{y}ichek]*
- moccasins	**- mokasín**	*[mokaseen]*
- walking shoes	**- polobotek**	*[polobotek]*
- sandals	**- sandálů**	*[sandahlōō]*
- trainers	**- tenisek**	*[tenisek]*
I need some ...	**Potřebuji ...**	*[potrzhebooyi]*
- flat-heeled shoes	**- boty na nízkém podpatku**	*[boti na n^{y}eeskehm potpatkoo]*
- high-heeled shoes	**- boty na vysokém podpatku**	*[boti na visokehm potpatkoo]*
- comfortable shoes	**- pohodlnou obuv**	*[pohodlnoh oboof]*
- slippers	**- pantofle**	*[pantofle]*
These are too ...	**Tyhle jsou moc ...**	*[tihle ysoh mots]*
- narrow/ wide	**- úzké/ široké**	*[ōōskeh/ shirokeh]*

- big/ small	**- velké/ malé**	*[velkeh/ maleh]*
They pinch.	**Tlačí.**	*[tlachee]*
Have you got ..., please?	**Máte prosím ...?**	*[mahte proseem]*
- a shoe brush	**- kartáč na boty**	*[kartah-ch na boti]*
- some shoe polish	**- krém na boty**	*[krehm na boti]*
- a shoe horn	**- lžíce na obouvání**	*[lzheetse na obohvahnʸee]*
- shoelaces	**- tkaničky**	*[tkanʸichki]*

SHOE REPAIR'S
OPRAVNA OBUVI

Can you repair these shoes?	**Můžete mi opravit tyto boty?**	*[mōōzhete mi opravit tito boti]*
The heels are worn out.	**Mám sešlapané podpatky.**	*[mahm seshlapaneh potpatki]*
The strap from the sandal has broken off.	**Utrhl se mi pásek na sandálech.**	*[ootrhl se mi pahsek na sandahlekh]*
I want new soles and heels.	**Chci nové podrážky a podpatky.**	*[khtsi noveh pot-rahshki a potpatki]*

BOOKSHOP, STATIONER'S
KNIHKUPECTVÍ, PAPÍRNICTVÍ

Where is ... please?	**Kde je, prosím, ...?**	*[gde ye proseem]*
- the children section	**- dětské oddělení**	*[dʸetskeh oddʸele-nʸee]*
Have you got ...?	**Máte, prosím Vás, ...?**	*[mahte proseem vahs]*
- a road map of Britain	**- autoatlas Británie**	*[aootoatlas britahniye]*
- a pocket dictionary	**- kapesní slovník**	*[kapesnʸee slovnʸeek]*
- a book by ...	**- knihu od ...**	*[knʸihoo ot]*
- a street map of London	**- mapu Londýna**	*[mapoo londeena]*
Have you got some secondhand books?	**Máte nějaké antikvární knihy?**	*[mahte nʸeyakeh anti-kvahrnʸee knʸihi]*

I want to buy ...	**Já si chci koupit ...**	*[yah si khtsi kohpit]*
- a notebook	**- blok**	*[blok]*
- a magazine	**- časopis**	*[chasopis]*
- some writing paper	**- dopisní papír**	*[dopisnʸee papeer]*
- a rubber	**- gumu**	*[goomoo]*
- some ink	**- inkoust**	*[ingohst]*
- an adhesive tape	**- lepicí pásku**	*[lepeetsee pahskoo]*
- a glue	**- lepidlo**	*[lepidlo]*
- a refill	**- náplň (do pera)**	*[nahplnʸ (do pera)]*
- some envelopes	**- obálky**	*[obahlki]*
- a pencil sharpener	**- ořezávátko**	*[orzhezahvahtko]*
- some paper	**- papír**	*[papeer]*
- some typing paper	**- papír do psacího stroje**	*[papeer do psatseeho stroye]*
- a typewriter ribbon	**- pásku do psacího stroje**	*[pahskoo do psatseeho stroye]*
- some crayons	**- pastelky**	*[pastelki]*
- a pen	**- pero**	*[pero]*
- a ruler	**- pravítko**	*[praveetko]*
- a ball-point pen	**- propisovací tužku**	*[propisovatsee tooshkoo]*
- an exercise book	**- sešit**	*[seshit]*
- a pencil	**- tužku**	*[tooshkoo]*

SPORT EQUIPMENT
SPORTOVNÍ POTŘEBY

I'd like ...	**Chtěl/a bych ...**	*[khtʸel/a bikh]*
- a balloon	**- balón**	*[balōn]*
- a torch/ a flashlight	**- baterku**	*[baterkoo]*
- a backpack	**- batoh**	*[batokh]*
- a baseball bat	**- baseballovou pálku**	*[beysbolovoh pahlkoo]*
- a bobsleigh	**- boby**	*[bobi]*
- some skates	**- brusle**	*[broosle]*
- some roller skates	**- kolečkové brusle**	*[kolechkoveh broosle]*
- a cool box	**- cestovní ledničku**	*[tsestovnʸee lednʸichkoo]*
- charcoal	**- dřevěné uhlí**	*[drzhevyeneh oohlee]*
- a mess tin	**- ešus**	*[eshoos]*

- an ice-hockey stick	**- hokejovou hůl**	*[hokeyovoh hōōl]*
- climbing boots	**- horolezecké boty**	*[horolezetskeh boti]*
- a bicycle	**- kolo**	*[kolo]*
- a compass	**- kompas**	*[kompas]*
a water flask	**- láhev na vodu**	*[lah-hef na vodoo]*
- a rope	**- lano**	*[lano]*
- a deck chair	**- lehátko**	*[lehahtko]*
- some goggles	**- lyžařské brýle**	*[lizharzhskeh breele]*
- some sticks	**- lyžařské hole**	*[lizharzhskeh hole]*
- some wax	**- lyžařský vosk**	*[lizharzhskee vosk]*
- some skis	**- lyže**	*[lizhe]*
- an air bed	**- nafukovací matraci**	*[nafookovatsee matratsi]*
- some fins	**- ploutve**	*[plohtve]*
- a swimming jacket	**- plovací vestu**	*[plovatsee vestoo]*
- a portable gas cooker	**- plynový vařič**	*[plinovee varzhich]*
- a helmet	**- přilbu**	*[przhilboo]*
- a pump	**- pumpu**	*[poompoo]*
- a fishing tackle	**- rybářské potřeby**	*[ribahrzhskeh potrzhebi]*
- a sledge	**- sáně**	*[sahnʸe]*
- a piton	**- skobu**	*[skoboo]*
- a sleeping bag	**- spacák**	*[spatsahk]*
- a tent	**- stan**	*[stan]*
- a tennis racket	**- tenisovou raketu**	*[tenisovoh raketoo]*
- some tennis balls	**- tenisové míčky**	*[tenisoveh meechki]*

ELECTRICAL APPLIANCES
ELEKTROPOTŘEBY

Do you have a battery for this?	**Máte pro tohle baterii?**	*[mahte pro tohle bateriyi]*
I'd like a walkman with earphones.	**Chtěl bych walkmana se sluchátky.**	*[khtʸel bikh volkmena se slookhahtki]*
I'd like to buy a colour television.	**Chtěl bych koupit barevnou televizi.**	*[khtʸel bikh kohpit barevnoh televizi]*
What's the output power?	**Jaký je výstupní výkon?**	*[yakee ye veestoopnʸee veekon]*

Can you show me how to use it?	**Můžete mi ukázat, jak to mám používat?**	*[mōōzhete mi ookahzat yak to mahm poozheevat]*
I'd like ...	**Chtěl/a bych ...**	*[khtʸel/a bikh]*
- a shaver	**- elektrický holicí strojek**	*[elektritskee holeetsee stroyek]*
- a hair dryer	**- fén**	*[fehn]*
- a record player	**- gramofón**	*[gramofōn]*
- a lamp	**- lampu**	*[lampoo]*
- a tape recorder	**- magnetofon**	*[magnetofon]*
- headphones	**- sluchátka**	*[slookhahtka]*
- a CD player	**- přehrávač kompaktních disků**	*[przhehrahvach kompaktnʸeekh diskōō]*
- a radio	**- rádio**	*[rahdiyo]*
- a tower system HI-FI	**- věž HI-FI**	*[vyesh hi-fi]*
- a video cassette recorder	**- videorekordér**	*[videorekordehr]*
- a vacuum cleaner	**- vysavač**	*[visavach]*
- a bulb	**- žárovku**	*[zhahrofkoo]*
- an extension lead	**- prodlužovací kabel**	*[prodloozhovatsee kabel]*
- an adaptor	**- rozdvojku**	*[rozdvoykoo]*

GROCER'S
POTRAVINY

I'd like some bread, please.	**Prosím chleba.**	*[proseem khleba]*
What sort of cheese do you have?	**Jaké máte druhy sýrů?**	*[yakeh mahte droohi seerōō]*
- hard cheese	**- tvrdý sýr**	*[tvrdee seer]*
- cream cheese	**- měkký sýr**	*[mnʸekee seer]*
- Emmenthaler	**- ementál**	*[ementahl]*
- full fat cheese	**- plnotučný sýr**	*[plnotoochnee seer]*
May I help myself?	**Můžu si sám vzít?**	*[mōōzhoo si sahm vzeet]*
I'd like ...	**Chtěl/a bych ...**	*[khtʸel/a bikh]*
- a kilo of apples	**- kilo jablek**	*[kilo yablek]*

- sugar	**- cukr**	*[tsookr]*
- lump/ icing	**- kostkový/ práškový**	*[kostkovee/ prahshkovee]*
- half a dozen eggs	**- šest vajíček**	*[shest vayeechek]*
- a packet of tea	**- krabičku čaje**	*[krabichkoo chaye]*
- a box of chocolates	**- bonboniéru**	*[bomboniyehroo]*
- a jar of jam	**- sklenici džemu**	*[sklenitsi dzhemoo]*

to be taken in	**být ošizen**	*[beet oshizen]*
a price	**cena**	*[tsena]*
expensive	**drahý**	*[drahee]*
an article	**druh zboží**	*[drookh zbozhee]*
a class	**jakost**	*[yakost]*
to buy	**kupovat**	*[koopovat]*
a quality	**kvalita**	*[kvalita]*
cheap	**levný**	*[levnee]*
to run a home delivery service	**mít dodávkovou službu**	*[meet dodahfkovoh sloozhboo]*
an order	**objednávka**	*[obyednahfka]*
to pay at the cash desk	**platit u pokladny**	*[plat'it oo pokladni]*
a cash desk	**pokladna**	*[pokladna]*
a cash-account	**pokladní lístek**	*[pokladn'ee leestek]*
a checker	**pokladní**	*[pokladn'ee]*
a shop assistant	**prodavač**	*[prodavach]*
to sell	**prodávat**	*[prodahvat]*
a counter	**pult**	*[poolt]*
a discount	**sleva**	*[sleva]*
to bargain	**smlouvat**	*[smlohvat]*
a reduced price	**snížená cena**	*[sn'eezhenah tsena]*
a window	**výloha**	*[veeloha]*
a sale	**výprodej**	*[veeprodey]*
a customer	**zákazník**	*[zahkazn'eek]*
a guarantee certificate	**záruční list**	*[zahroochn'ee list]*
goods	**zboží**	*[zbozhee]*

SIGNS
NÁPISY

ADMISSION	VSTUPNÉ	[vstoopneh]
ADMISSION FREE	VSTUP VOLNÝ	[vstoop volnee]
ADULTS ONLY	MLÁDEŽI NEPŘÍSTUPNO	[mlahdezhi neprzheestoopno]
ALL AGES	MLÁDEŽI PŘÍSTUPNO	[mlahdezhi przheestoopno]
BEST BEFORE	DATUM SPOTŘEBY	[datoom spotrzhebi]
BEWARE OF THE DOG!	POZOR, ZLÝ PES!	[pozor zlee pes]
BUILDING SITE	STAVENIŠTĚ	[staven^{y}isht^{y}e]
BUS STOP	ZASTÁVKA AUTOBUSŮ	[zastahfka aootoboosōō]
CASH DESK	POKLADNA	[pokladna]
CLEARANCE	VÝPRODEJ	[veeprodey]
CLOAK ROOM	ŠATNA	[shatna]
CLOSED	ZAVŘENO	[zavrzheno]
COLD	STUDENÝ	[stoodenee]
CUSTOMS	CELNICE	[tseln^{y}itse]
DANGER	NEBEZPEČÍ	[nebespechee]
DANGEROUS--FLAMMABLE	NEBEZPEČÍ POŽÁRU	[nebespechee pozhahroo]
DANGEROUS	ŽIVOTU NEBEZPEČNÉ	[zhivotoo nebespechnee]
DISCOUNT	SLEVA	[sleva]
DO NOT DISTURB!	NERUŠIT!	[nerooshit]
DO NOT ENTER/ NO ENTRY	VSTUP ZAKÁZÁN	[fstoop zakahzahn]
DO NOT TOUCH!	NEDOTÝKEJTE SE!	[nedoteekeyte se]
DRINKING WATER	PITNÁ VODA	[pitnah voda]
EMERGENCY EXIT	NOUZOVÝ VÝCHOD	[nohzovee veekhot]
ENTRANCE	VCHOD	[vkhot]
EXIT/ WAY OUT	VÝCHOD	[veekhot]
FOR RENT	K PRONÁJMU	[k pronahymoo]
FOR SALE	NA PRODEJ	[na prodey]

GENTLEMEN	PÁNOVÉ	*[pahnoveh]*
INFORMATION	INFORMACE	*[informatse]*
INSERT A COIN	VHOĎTE MINCI	*[vhoťte mintsi]*
KEEP RIGHT	JEĎTE VPRAVO	*[yeťte fpravo]*
LADIES	DÁMY	*[dahmi]*
LIFT	VÝTAH	*[veetakh]*
LITTER/ GARBAGE	ODPADKY	*[otpatki]*
LOST PROPERTY	ZTRÁTY A NÁLEZY	*[strahti a nahlezi]*
MIND THE STEP!	POZOR SCHOD!	*[pozor skhot]*
NO ADMITTANCE EXCEPT ON BUSINESS	NEPOVOLANÝM VSTUP ZAKÁZÁN	*[nepovolaneem vstoop zakahzahn]*
NO BATHING/ SWIMMING	KOUPÁNÍ ZAKÁZÁNO	*[kohpahnʸee zakahzahno]*
NO EXIT	ZAKÁZANÝ VÝCHOD	*[zakahzanee veekhot]*
NO SMOKING	KOUŘENÍ ZAKÁZÁNO	*[kohrzhenʸee zakahzahno]*
NON-DRINKING WATER	VODA NENÍ PITNÁ	*[voda nenʸee pitnah]*
NON-SMOKERS	NEKUŘÁCI	*[nekoorzhahtsi]*
OCCUPIED	ZADÁNO	*[zadahno]*
OPEN	OTEVŘENO	*[otevrzheno]*
OUT OF ORDER	MIMO PROVOZ	*[mimo provos]*
PEDESTRIANS ONLY	JEN PRO PĚŠÍ	*[yen pro pyeshee]*
POISON	JED	*[yet]*
PUBLIC LAVATORY	VEŘEJNÉ ZÁCHODY	*[verzheyneh zahkhodi]*
PULL	TÁHNOUT/ SEM	*[tah-hnoht/ sem]*
PUSH	TLAČIT/ TAM	*[tlachit/ tam]*
REQUEST STOP	ZASTÁVKA NA ZNAMENÍ	*[zastahfka na znamenʸee]*
RING THE BELL	ZVOŇTE	*[zvonʸte]*
SILENCE!	TICHO!	*[tʸikho]*
SOLD OUT	VYPRODÁNO	*[viprodahno]*
VACANT	VOLNO	*[volno]*
WET PAINT	ČERSTVĚ NATŘENO	*[cherstvye natrzheno]*

I'M LOOKING FOR A JOB
HLEDÁM PRÁCI

I'm looking for a job.	**Hledám práci.**	*[hledahm prahtsi]*
I've been dismissed.	**Byl jsem propuštěn.**	*[bil ysem propoosht^{y}en]*
I gave notice.	**Dal jsem výpověď.**	*[dal ysem veepovyet^y]*
I'm unemployed.	**Jsem nezaměstnaný.**	*[ysem nezamn^{y}estnanee]*
I'm going to apply for a job as an accountant.	**Budu žádat o práci účetního.**	*[boodoo zhahdat o prahtsi ōōchetn^{y}eeho]*
I'm applying for a position of ...	**Žádám o místo ...**	*[zhahdahm o meesto]*
I'm answering an advertisement.	**Odpovídám na inzerát.**	*[otpoveedahm na inzeraht]*
Please, send us your curriculum vitae.	**Zašlete nám, prosím, Váš životopis.**	*[zashlete nahm proseem vahs zhivotopis]*
We have a vacancy in our company.	**V naší firmě je volné místo.**	*[v nashee firmn^{y}e ye volneh meesto]*
Where can I find a job centre?	**Kde najdu pracovní úřad?**	*[gde naydōō pratsovn^{y}ee ōōrzhat]*
Where is the personal department?	**Kde je tady personální oddělení?**	*[gde ye tadi personahln^{y}ee odd^{y}elen^{y}ee]*
I am interested in working for your company.	**Mám zájem o práci u Vaší firmy.**	*[mahm zahyem o prahtsi oo vashee firmi]*
Would you fill in this form, please?	**Vyplňte, prosím, tento formulář.**	*[vipln^{y}te proseem tento formoolahrzh]*
Give details of your qualification and experience.	**Uveďte svoji kvalifikaci a zkušenosti.**	*[oovet^{y}te svoyi kvalifikatsi a skooshenost^{y}i]*
Here are my documents and copies of my school reports.	**Tady jsou moje dokumenty a kopie vysvědčení.**	*[tadi ysoh moye dokoomenti a kopiye visvyetchen^{y}ee]*
Who am I to check in?	**U koho se musím hlásit?**	*[oo koho se mooseem hlahsit]*

I have finished ...	**Vystudoval jsem ...**	*[vistoodoval ysem]*
- a basic school	**- základní školu**	*[zahkladn^{y}ee shkoloo]*
- a comprehensive school	**- všeobecnou školu**	*[fsheobetsnoh shkoloo]*
- a high school	**- gymnázium**	*[gimnahziyoom]*
- a technical school	**- technickou střední školu**	*[tekhnitskoh strzhedn^{y}ee shkoloo]*
- a school of applied arts	**- umělecko-průmyslovou školu**	*[oomn^{y}eletsko prōō-mislovoh shkoloo]*
- a vocational school	**- učiliště**	*[oochilisht^{y}e]*
- a university	**- univerzitu**	*[ooniverzitoo]*
- an academy of musical arts	**- akademii muzických umění**	*[akademiyi moozits-keekh oomn^{y}en^{y}ee]*
- a philosophical faculty	**- filozofickou fakultu**	*[filozofitskoh fakooltoo]*
- a faculty of medicine	**- lékařskou fakultu**	*[lehkarzhskoh fakooltoo]*
- a teacher's training college	**- pedagogickou fakultu**	*[pedagogitskoh fakooltoo]*
- a college of agriculture	**- vysokou zemědělskou školu**	*[visokoh zemn^{y}e-d^{y}elskoh shkoloo]*
Then I began to work with (name of firm) as a/ an (job title).	**Poté jsem začal pracovat u firmy (jméno firmy) jako (název).**	*[poteh ysem zachal pratsovat oo firmi (ymehno firmi) yako (nahzef)]*
I can do ...	**Mohu vykonávat ...**	*[mohoo vikonahvat]*
- bricklayer's works	**- zednické práce**	*[zedn^{y}itskeh prahtse]*
- locksmith's works	**- zámečnické práce**	*[zahmechn^{y}itskeh prahtse]*
I can work ...	**Mohu pracovat ...**	*[mohoo pratsovat]*
- in an office	**- v kanceláři**	*[v kantselahrzi]*
- in agriculture	**- v zemědělství**	*[v zemn^{y}ed^{y}elstvee]*
- in health service	**- ve zdravotnictví**	*[ve zdravotn^{y}itstvee]*
What are your other skills?	**Jaké máte další dovednosti?**	*[yakeh mahte dalshee dovednost^{y}i]*
- typing	**- psaní na stroji**	*[psan^{y}ee na stroyi]*
- driving abilities	**- řidičský průkaz**	*[rzhid^{y}ichskee prōōkas]*
- shorthand	**- těsnopis**	*[t^{y}esnopis]*

- bookkeeping	**- účetnictví**	*[ōōchetn^{y}itstvee]*
I also have experience in the field of ...	**Mám také zkušenosti v oboru ...**	*[mahm takeh skooshenost^{y}i v oboroo]*
Have you got a residency permit?	**Máte povolení k pobytu?**	*[mahte povolen^{y}ee k pobitoo]*
We will/ will not provide you with accommodation.	**Ubytování Vám zajistíme/ nezajistíme.**	*[oobitovahn^{y}ee vahm zayeest^{y}eeme/ nezayeest^{y}eeme]*
For two years I worked as a ...	**Dva roky jsem pracoval jako ...**	*[dva roki ysem pratsoval yako]*
At present I am employed by (name of firm) and I have been there for (number of years).	**V současnosti jsem zaměstnaný u firmy (jméno) a pracuji tu (počet roků).**	*[v sohchasnost^{y}i ysem zamn^{y}estnanee oo firmi (ymehno) a pra-tsooyi too (pochet rokōō)]*
We regret to tell you that we are not able to offer you the post of (title) which you applied for on (date).	**Litujeme, že Vám musíme oznámit, že Vám nemůžeme nabídnout místo (název), o které jste žádal (datum).**	*[litooyeme zhe vam mooseeme oznahmit zhe vam nemōōzheme nabeednoht meesto (nahzef) o ktereh yste zahdal (datoom)]*
We are pleased to inform you that you were successful in your interview for (title) which you attended on (date).	**S potěšením Vám oznamujeme, že jste byl v pohovoru ohledně (název), který jste absolvoval (datum), úspěšný.**	*[s pot^{y}eshen^{y}eem vahm oznamooyeme, zhe yste bil v pohovoroo ohled-n^{y}e (nahzef), kteree yste absolvoval (datoom), ōōspyeshnee]*
Your duties will include ...	**Vaše povinnosti budou zahrnovat ...**	*[vashe povinost^{y}i boo-doh zahrnovat]*
What are your working hours?	**Jaká je u Vás pracovní doba?**	*[yakah ye oo vahs pratsovn^{y}ee doba]*
You will have free medical insurance.	**Budete mít bezplatné zdravotní pojištění.**	*[boodete meet besplatneh poyisht^{y}en^{y}ee]*
You will work on the day/ night shift.	**Budete pracovat na denní/ noční směně.**	*[boodete pratsovat na den^{y}ee/ nochn^{y}ee smn^{y}en^{y}e]*
When can I start working?	**Kdy mohu nastoupit?**	*[gdi mohoo nastohpit]*

Right now, if you like.	**Třeba okamžitě, chcete-li.**	*[trzheba okamzhit'e khtsete-li]*
You'll start your work tomorrow.	**Začnete pracovat zítra.**	*[zachnete pratsovat zeetra]*
What will the salary be?	**Jaký budu mít plat?**	*[yakee boodoo meet plat]*
You will be paid by the hour/ day.	**Budete placen na hodinu/ den.**	*[boodete platsen na hod'inoo/ den]*
We can sign the contract.	**Můžeme podepsat pracovní smlouvu.**	*[mōōzheme podepsat pratsovn'ee smlohvoo]*
Is it net income or gross salary?	**To je čistý nebo hrubý výdělek?**	*[to ye chistee nebo hroobee veed'elek]*

net income	**čistý příjem**	*[chistee przheeyem]*
day shift	**denní směna**	*[den'ee smn'ena]*
recommendation	**doporučení**	*[doporoochen'ee]*
leave/ holiday	**dovolená**	*[dovolenah]*
hour rate	**hodinová mzda**	*[hod'inovah mzda]*
gross salary	**hrubá mzda**	*[hroobah mzda]*
wage (for workers)	**mzda (pro dělníky)**	*[mzda (pro d'el-n'eeki)]*
unemployment	**nezaměstnanost**	*[nezamn'estnanost]*
fringe benefits	**okrajové výhody**	*[okrazoveh veehodi]*
salary	**plat**	*[plat]*
interview	**pohovor**	*[pohovor]*
post/ vacancy/ position/ opening	**pracovní místo**	*[pratsovn'ee meesto]*
contract of employment	**pracovní smlouva**	*[pratsovn'ee smlohva]*
overtime	**přesčas**	*[przheschas]*
employee	**zaměstnanec**	*[zamn'estnanets]*
employment	**zaměstnání**	*[zamn'estnahn'ee]*
employer	**zaměstnavatel**	*[zamn'estnavatel]*
to choose a career	**zvolit si zaměstnání**	*[zvolit si zamn'estnahn'ee]*
curriculum vitae	**životopis**	*[zhivotopis]*

waiter	číšník	*[cheeshn^{y}eek]*
worker	dělník	*[d^{y}eln^{y}eek]*
economist	ekonom	*[ekonom]*
electrician	elektrikář	*[elektrikahrzh]*
actor/ actress	herec/ herečka	*[herets/ herechka]*
watchmaker	hodinář	*[hod^{y}inahrzh]*
barber	holič	*[holich]*
plumber	instalatér	*[instalatehr]*
hairdresser	kadeřník	*[kaderzhn^{y}eek]*
smith	kovář	*[kovahrzh]*
cook/ chef	kuchař	*[kookharzh]*
doctor	lékař	*[lehkarzh]*
painter	malíř	*[maleerzh]*
mechanic	mechanik	*[mekhanik]*
journalist	novinář	*[novinahrzh]*
shoemaker	obuvník	*[oboovn^{y}eek]*
lawyer	právník	*[prahvn^{y}eek]*
computer programmer	programátor	*[programahtor]*
shop assistant	prodavač(ka)	*[prodavach(ka)]*
editor	redaktor	*[redaktor]*
craftsman	řemeslník	*[rzhemesln^{y}eek]*
butcher	řezník	*[rzhezn^{y}eek]*
waitress	servírka	*[serveerka]*
turner	soustružník	*[sohstroozhn^{y}eek]*
technician	technik	*[tekhnik]*
carpenter	tesař	*[tesarzh]*
teacher	učitel	*[oochitel]*
cleaner	uklízečka	*[ookleezechka]*
accountant	účetní	*[ōōchetn^{y}ee]*
clerk	úředník	*[ōōrzhedn^{y}eek]*
locksmith	zámečník	*[zahmechn^{y}eek]*
nurse	zdravotní sestra	*[zdravotn^{y}ee sestra]*
bricklayer	zedník	*[zedn^{y}eek]*
farmer	zemědělec	*[zemn^{y}ed^{y}elets]*
singer	zpěvák	*[spyevahk]*
dentist	zubař	*[zoobarzh]*
veterinarian	zvěrolékař	*[zvyerolehkarzh]*

HEALTH
ZDRAVÍ

AT THE DOCTOR'S
U LÉKAŘE

I need a doctor, quickly.	**Rychle, potřebuji lékaře.**	*[rikhle potrzhebooyi lehkarzhe]*
Where is the surgery?	**Kde je lékařská ordinace?**	*[gde ye lehkarzh-skah ordinatse]*
Are you all right?	**Jsi v pořádku?**	*[ysi v porzhahtkoo]*
What's wrong with you?	**Co je s tebou?**	*[tso ye s teboh]*
I'm O.K.	**Nic mi není.**	*[nʸits mi nenʸee]*
You don't look well.	**Nevypadáš dobře.**	*[nevipadahsh dobrzhe]*
I am not feeling like myself.	**Nejsem ve své kůži.**	*[neysem ve sveh kōōzhi]*
You should go to the doctor about your heart.	**Měl bys jít s tím srdcem k lékaři.**	*[mnʸel bis yeet s tʸeem srtsem k lehkarzhi]*
Don't worry.	**Nedělejte si starosti.**	*[nedʸeleyte si starostʸi]*
Could you recommend me a good ...?	**Můžete mi doporučit dobrého ...?**	*[mōōzhete mi dopo-roochit dobreh-ho]*
- paediatrist	**- dětského lékaře**	*[dʸetskeh-ho lehkarzhe]*
- gynaecologist	**- gynekologa**	*[ginekologa]*
- general practitioner	**- praktického lékaře**	*[praktitskeh-ho lehkarzhe]*
No appointments today.	**Lékař dnes neordinuje.**	*[lehkarzh dnes neordinooye]*
Are you feeling better?	**Už je vám lépe?**	*[oosh ye vahm lehpe]*
I am ill.	**Jsem nemocný.**	*[ysem nemotsnee]*
I feel dizzy.	**Točí se mi hlava.**	*[tochee se mi hlava]*
I feel weak.	**Je mi mdlo.**	*[ye mi mdlo]*

I feel sick/ nauseous.	**Je mi špatně od žaludku.**	*[ye mi shpatnʸe ot zhalootkoo]*
Have you got a temperature?	**Máte horečku?**	*[mahte horechkoo]*
Take your temperature.	**Změřte se.**	*[zmnʸerzhte se]*
My temperature is 38 degrees.	**Mám 38 stupňů.**	*[mahm trzhitset osoom stoopnʸōō]*
What happened to you?	**Co se Vám stalo?**	*[tso se vahm stalo]*
I fainted.	**Omdlel jsem.**	*[omdlel ysem]*
I've been vomiting.	**Zvracel jsem.**	*[zvratsel ysem]*
I am constipated.	**Mám zácpu.**	*[mahm zahtspoo]*
I've got diarrhoea.	**Mám průjem.**	*[mahm prōōyem]*
I caught a cold.	**Nachladila jsem se.**	*[nakhladʸila ysem se]*
I have a sore throat.	**Bolí mě v krku.**	*[bolee mnʸe v krkoo]*
I have a bad cough.	**Mám silný kašel.**	*[mahm silnee kashel]*
I am a bit hoarse.	**Trochu chraptím.**	*[trokhoo khraptʸeem]*
I'm perspiring a lot.	**Hodně se potím.**	*[hodnʸe se potʸeem]*
I don't feel like eating.	**Nemám chuť k jídlu.**	*[nemahm khootʸ k yeedloo]*
I had a bleeding nose yesterday.	**Včera mi krvácelo z nosu.**	*[vchera mi krvahtse-lo z nosoo]*
I've cut my finger.	**Řízl jsem se do prstu.**	*[rzheezl ysem se do prstoo]*
I have got something in my eye.	**Něco mi spadlo do oka.**	*[nʸetso mi spadlo do oka]*
I have got a rash.	**Mám vyrážku.**	*[mahm virahshkoo]*
It's itching.	**Svědí to.**	*[svyedʸee to]*
I've burnt my fingers.	**Spálil jsem si prsty.**	*[spahlil ysem si prsti]*
I have cramps.	**Mám křeče.**	*[mahm krzheche]*
I have indigestion.	**Mám potíže s trávením.**	*[mahm potʸeezhe s trahvenʸeem]*
I have difficulties with breathing.	**Mám potíže s dýcháním.**	*[mahm potʸeezhe s deekhahnʸeem]*
I was stung by an insect.	**Bodl mě nějaký hmyz.**	*[bodl mnʸe nʸeyakee hmis]*
He was injured in a car accident.	**Byl raněn při autonehodě.**	*[bil ranʸen przhi aootonehodʸe]*

I can't move my hand.	**Nemůžu hýbat rukou.**	*[nemōōzhoo heebat rukoh]*
I'll take your blood pressure.	**Změřím Vám tlak.**	*[zmn^{y}erzheem vahm tlak]*
I need a specimen of your urine/ blood/ stools.	**Potřebuji vzorek moči/ krve/ stolice.**	*[potrzhebooyi vzorek mochi/ krve/ stolitse]*
I'll give you an injection.	**Dám Vám injekci.**	*[dahm vahm inyektsi]*
Roll up your sleeve.	**Vyhrňte si rukáv.**	*[vihrn^{y}te si rookahf]*
Please, undress down to the waist.	**Svlékněte se.**	*[svlehkn^{y}ete se]*
Stick your tongue out.	**Vyplázněte jazyk.**	*[viplahzn^{y}ete yazik]*
Breathe deeply.	**Dýchejte zhluboka.**	*[deekheyte zhlooboka]*
Don't breathe.	**Nedýchejte.**	*[nedeekheyte]*
Cough, please.	**Zakašlete.**	*[zakashlete]*
Where does it hurt?	**Kde to bolí?**	*[gde to bolee]*
It is ...	**Je to ...**	*[ye to]*
- a burning pain	**- palčivá bolest**	*[palchivah bolest]*
- a dull pain	**- tupá bolest**	*[toopah bolest]*
- a sharp pain	**- ostrá bolest**	*[ostrah bolest]*
- a constant pain	**- trvalá bolest**	*[trvalah bolest]*
I've got ...	**Bolí mě ...**	*[bolee mn^{y}e]*
- a headache	**- hlava**	*[hlava]*
- a sore throat	**- v krku**	*[v krkoo]*
- a backache	**- v zádech**	*[v zahdekh]*
You mustn't eat anything.	**Nesmíte nic jíst.**	*[nesmeete nits yeest]*
You must follow a diet.	**Musíte držet dietu.**	*[mooseete drzhet diyetoo]*
You are a hypochondriac.	**Jste hypochondr.**	*[yste hipokhondr]*
I've got a stabbing pain ...	**Píchá mě ...**	*[peekhah mn^{y}e]*
- in my back	**- v zádech**	*[v zahdekh]*
- in my hip	**- v boku**	*[v bokoo]*
- on my breast	**- na prsou**	*[na prsoh]*

Have you got any other complaints?	**Máte ještě nějaké jiné potíže?**	*[mahte yesht^ye n^yeya-keh yineh pot^yeezhe]*
I think my leg is broken.	**Myslím, že mám zlomenou nohu.**	*[misleem zhe mahm zlomenoh nohoo]*
You must be examined.	**Musíte se podrobit lékařské prohlídce.**	*[mooseete se podro-bit lehkarzhskeh prohleet-tse]*
You'll go for an X-ray.	**Půjdete na rentgen.**	*[pōōydete na rengen]*
It's a compound fracture.	**Je to otevřená zlomenina.**	*[ye to otevrzhenah zlomen^yina]*
What's the diagno-sis?	**Jaká je diagnóza?**	*[yakah ye diyagnōza]*
You have ...	**Máte ...**	*[mahte]*
- tonsillitis	**- angínu**	*[angeenoo]*
- influenza/ flu	**- chřipku**	*[khrzhipkoo]*
- pneumonia	**- zápal plic**	*[zahpal plits]*
- jaundice	**- žloutenku**	*[zhlohtenkoo]*
- diabetes	**- cukrovku**	*[tsookrofkoo]*
- measles	**- spalničky**	*[spaln^yichki]*
- mumps	**- příušnice**	*[przheeooshn^yitse]*
- scarlet fever	**- spálu**	*[spahloo]*
- cancer	**- rakovinu**	*[rakovinoo]*
- leukemia	**- leukemii**	*[leookehmiyi]*
- a heart attack	**- infarkt**	*[infarkt]*
- chickenpox	**- plané neštovice**	*[planeh neshtovitse]*
I suffer from a heart defect.	**Trpím srdeční vadou.**	*[trpeem srdechn^yee vadoh]*
It's nothing serious.	**Není to nic vážného.**	*[nen^yee to nits vahzhneh-ho]*
We will cure your illness.	**Vaši nemoc vyléčíme.**	*[vashi nemots vilehcheeme]*
It's an incurable illness.	**Je to nevyléčitelné.**	*[ye to nevileh-chitelneh]*
It's an infectious disease.	**Je to infekční choroba.**	*[ye to infekchn^yee khoroba]*
It's a catching disease.	**Je to nakažlivá nemoc.**	*[ye to nakazhlivah nemots]*
You must submit to an operation.	**Musíte se podrobit operaci.**	*[mooseete se podro-bit operatsi]*

You must go to the hospital.	**Musíte jít do nemocnice.**	*[mooseete yeet do nemotsn^{y}itse]*
When are the visiting hours?	**Kdy jsou návštěvní hodiny?**	*[gdi ysoh nahfsht^{y}evn^{y}ee hod^{y}ini]*
When will the doctor come?	**Kdy přijde lékař?**	*[gdi przhiyde lehkarzh]*
You must stay in bed.	**Musíte zůstat ležet.**	*[mooseete zōōstat lezhet]*
Could you prescribe ...?	**Můžete mi předepsat ...?**	*[mōōzhete mi przhedepsat]*
- an antidepressant	**- prášky proti depresi**	*[prahshki prot^{y}i depresi]*
- some sleeping pills	**- prášky na spaní**	*[prahshki na span^{y}ee]*
I am allergic to certain antibiotics.	**Jsem alergický na určitá antibiotika.**	*[ysem alergitskee na oorchitah antibiyotika]*
I don't want anything too strong.	**Nechci nic silného.**	*[nekhtsi n^{y}its silneh-ho]*
How many times a day should I take it?	**Kolikrát denně to mám brát?**	*[kolikraht den^{y}e to mahm braht]*
What medicine are you taking?	**Jaké berete léky?**	*[yakeh berete lehki]*
Take one teaspoon of this cough syrup.	**Berte 1 čajovou lžičku tohoto sirupu proti kašli.**	*[berte yednoo chayovoh lzhichkoo tohoto siroopoo prot^{y}i kashli]*
Take one pill with a glass of water ...	**Berte jeden prášek se sklenicí vody ...**	*[berte yeden prahshek se sklen^{y}itsee vodi]*
- before each meal	**- před každým jídlem**	*[przhet kazhdeem yeedlem]*
- after each meal	**- po každém jídle**	*[po kazhdehm yeedle]*
Come for a check up in a week.	**Za týden přijďte na kontrolu.**	*[za teeden przhit^{y}te na kontroloo]*
He recovered quickly.	**Uzdravil se rychle.**	*[oozdravil se rikhle]*
Do you have health insurance?	**Máte zdravotní pojištění?**	*[mahte zdravotn^{y}ee poyisht^{y}en^{y}ee]*

AT THE DENTIST
U ZUBAŘE

Could you recommend me a good dentist?	**Můžete mi doporučit dobrého zubaře?**	*[mōōzhete mi doporoochit dobreh-ho zoobarzhe]*
Could you check up my teeth, please?	**Můžete mi zkontrolovat zuby?**	*[mōōzhete mi skontrolovat zoobi]*
I've lost a filling.	**Vypadla mi plomba.**	*[vipadla mi plomba]*
It has been troubling me for two days already.	**Bolí mě to už dva dny.**	*[bolee mnʸe to oosh dva dni]*
Which tooth hurts?	**Který zub Vás bolí?**	*[kteree zoop vahs bolee]*
This ... hurts.	**Tento ... bolí.**	*[tento bolee]*
- tooth at the top	**- zub nahoře**	*[zoop nahorzhe]*
- tooth at the bottom	**- zub dole**	*[zoop dole]*
- incisor	**- řezák**	*[rzhezahk]*
- eye-tooth	**- špičák**	*[shpichahk]*
- molar	**- stolička**	*[stolichka]*
- wisdom tooth	**- zub moudrosti**	*[zoop mohdrostʸi]*
Open your mouth, please.	**Otevřte, prosím, ústa.**	*[otevrzhte proseem ōōsta]*
The tooth is sound.	**Tento zub je zdravý.**	*[tento zoop ye zdravee]*
The tooth is rotten.	**Tento zub je zkažený.**	*[tento zoop ye skazhenee]*
You have got paradontitis.	**Máte paradentózu.**	*[mahte paraden-tōzoo]*
The tooth needs to be pulled out.	**Zub je třeba vytrhnout.**	*[zoop ye trzheba vitrhnoht]*
Could you give me an anaesthetic?	**Můžete mi dát anestetikum?**	*[mōōzhete mi daht anestetikoom]*
Don't worry.	**Nebojte se.**	*[neboyte se]*
It will not hurt.	**Nebude to bolet.**	*[neboode to bolet]*
I'll drill the tooth.	**Vyvrtám Vám ten zub.**	*[vivrtahm vahm ten zoop]*
The tooth needs a filling.	**Musíme ten zub zaplombovat.**	*[mooseeme ten zoop zaplombovat]*

You have got tartar on your tooth.	**Máte zubní kámen.**	*[mahte zoobnʸee kahmen]*
I'll crown the tooth.	**Nasadím Vám korunku.**	*[nasadʸeem vahm koroonkoo]*
We will make a false tooth for you.	**Uděláme Vám umělý zub.**	*[oodʸelahme vahm oomnʸelee zoop]*
Rinse out your mouth.	**Vypláchněte si ústa.**	*[viplahkhnʸete si ōōsta]*
Don't eat anything for two hours.	**Dvě hodiny nic nejezte.**	*[dvye hodʸini nits neyeste]*

AT THE OCULIST
U OČNÍHO LÉKAŘE

Well, what's troubling you?	**Tak, co vás trápí?**	*[tak tso vahs trahpee]*
My eyes have hurt for about three days already.	**Už asi tři dny mě bolí oči.**	*[oosh asi trzhi dni mnʸe bolee ochi]*
My eyes are itching.	**Svědí mě oči.**	*[svyedʸee mnʸe ochi]*
I can't see well at a distance.	**Špatně vidím na dálku.**	*[shpatnʸe vidʸeem na dahlkoo]*
I wear contact lenses.	**Nosím kontaktní čočky.**	*[noseem kontaktnʸee chochki]*
I think my glasses are weak.	**Myslím, že mám slabé brýle.**	*[misleem zhe mahm slabeh breele]*
You are long-sighted/ short-sighted.	**Jste dalekozraký/ krátkozraký.**	*[yste dalekozrakee/ krahtkozrakee]*
I am colour-blind.	**Jsem barvoslepý.**	*[ysem barvoslepee]*
I am squint-eyed.	**Šilhám.**	*[shilhahm]*
Do you wear any other glasses?	**Nosíte ještě nějaké jiné brýle?**	*[noseete yeshtʸe nʸeyakeh yineh breele]*
How many diopters do you have?	**Kolik máte dioptrií?**	*[kolik mahte diyoptriyee]*
First of all, I have to examine your eyes.	**Musím Vám nejdřív vyšetřit oči.**	*[mooseem vahm neydrzheef vishetrzhit ochi]*
Your left eye is a bit weaker.	**Levé oko je trochu slabší.**	*[leveh oko ye trokhoo slapshee]*

FIRST AID
PRVNÍ POMOC

Call the ambulance!	**Zavolejte sanitku!**	*[zavoleyte sanitkoo]*
Do you know basic first aid?	**Znáte zásady první pomoci?**	*[znahte zahsadi prvn^{y}ee pomotsi]*
He is seriously injured.	**Je těžce raněn.**	*[ye t^{y}eshtse ran^{y}en]*
He is unconscious.	**Je v bezvědomí.**	*[ye v bezvyedomee]*
He/ she is bleeding.	**Krvácí.**	*[krvahtsee]*
He has a first degree burn.	**Má popáleniny 1. stupně.**	*[mah popahlen^{y}ini prvn^{y}eeho stoopn^{y}e]*
He isn't breathing.	**Nedýchá.**	*[nedeekhah]*
Check his pulse.	**Zkontrolujte jeho puls.**	*[skontrolooyte yeho pools]*
He is still alive.	**Stále žije.**	*[stahle zhiye]*
I can't feel his pulse.	**Nemůžu nahmatat jeho puls.**	*[nemōōzhoo nahmatat yeho pools]*
He has a heart failure.	**Má zástavu srdce.**	*[mah zahstavoo srt-tse]*
He has an internal injury.	**Má vnitřní zranění.**	*[mah vn^{y}itrzhn^{y}ee zran^{y}en^{y}ee]*
Put him into a stabilized position.	**Dejte ho do stabilizované polohy.**	*[deytę ho do stabilizovaneh polohi]*
Put the injured man on the stretcher.	**Položte zraněného muže na nosítka.**	*[poloshte zran^{y}eneh-ho moozhe na noseetka]*
It is necessary to transport the injured man to the hospital immediately.	**Je nutné převézt zraněného ihned do nemocnice.**	*[ye nootneh przhevehst zran^{y}eneh-ho ihnet do nemotsnitse]*
Help me ...	**Pomozte mi ...**	*[pomoste mi]*
- stop bleeding from the wound	**- zastavit krvácení**	*[zastavit krvahtsen^{y}ee]*
- clean the wound	**- vyčistit ránu**	*[vichist^{y}it rahnoo]*
- put the bandage on	**- zavázat ránu**	*[zavahzat rahnoo]*
- give him artificial resuscitation	**- dát umělé dýchání**	*[daht oomn^{y}eleh deekhahn^{y}ee]*

jaw	čelist	*[chelist]*
gum	dáseň	*[dahsen^{y}]*
genitals	genitálie	*[genitahli-ye]*
head	hlava	*[hlava]*
chest	hruď	*[hroot^{y}]*
sole	chodidlo	*[khodidlo]*
tongue	jazyk	*[yazik]*
knee	koleno	*[koleno]*
rectum	konečník	*[konechn^{y}eek]*
bone	kost	*[kost]*
neck	krk	*[k^{u}rk]*
skin	kůže	*[kōōzhe]*
kidney	ledvina	*[ledvina]*
nerve	nerv	*[nerf]*
leg	noha	*[noha]*
nose	nos	*[nos]*
face	obličej	*[oblichey]*
eye	oko	*[oko]*
thumb	palec	*[palets]*
backbone	páteř	*[pahterzh]*
arm	paže	*[pazhe]*
breast	prsa	*[prsa]*
finger	prst	*[prst]*
toe	prst u nohy	*[prst oo nohi]*
shoulder	rameno	*[rameno]*
lip	ret	*[ret]*
hand	ruka	*[rooka]*
appendix	slepé střevo	*[slepeh strzhevo]*
heart	srdce	*[srt-tse]*
thigh	stehno	*[stehno]*
muscle	sval	*[sval]*
tendon	šlacha	*[shlakha]*
artery	tepna	*[tepna]*
ear	ucho	*[ookho]*
mouth	ústa	*[ōōsta]*
back	záda	*[zahda]*
stomach	žaludek	*[zhaloodek]*
vein	žíla	*[zheela]*

CULTURE
KULTURA

THEATRE
DIVADLO

Would you like to go to the theatre with me?	**Chtěl byste jít se mnou do divadla?**	*[khtˇel bis-te yeet se mnoh do dˇivadla]*
At which theatre is that new play by ... being performed?	**Ve kterém divadle se hraje ta nová hra od ...?**	*[ve kterehm dˇivadle se hraye ta novah hra ot]*
We should book tickets beforehand.	**Měli bychom si koupit lístky v předprodeji.**	*[mnˇeli bikhom si kohpit leestki v przhetprodeyi]*
I'd like a seat ...	**Chtěla bych lístek ...**	*[khtˇela bikh leestek]*
- in the pit	**- v přízemí**	*[v przheezemee]*
- in the middle	**- uprostřed**	*[ooprostrzhet]*
- in the balcony	**- na balkón**	*[na balkōn]*
- in the box	**- do lóže**	*[do lōzhe]*
- in the row 9, seat 2	**- do řady č. 9, sedadlo 2**	*[do rzhadi cheeslo devyet sedadlo dvye]*
What's on tonight?	**Co dnes hrají?**	*[tso dnes hrayee]*
It is ...	**Je to ...**	*[ye to]*
- a drama	**- činohra**	*[chinohra]*
- a play	**- hra**	*[hra]*
- a tragedy	**- tragédie**	*[tragehdiye]*
- a comedy	**- komedie**	*[komediye]*
- a musical	**- muzikál**	*[moozikahl]*
- a ballet	**- balet**	*[balet]*
What time does the performance begin?	**V kolik hodin začíná představení?**	*[v kolik hodˇin zachee-nah przhetstavenˇee]*
Who is playing the lead?	**Kdo hraje hlavní roli?**	*[gdo hraye hlavnˇee roli]*
I like a puppet show.	**Mám rád loutkové divadlo.**	*[mahm raht lohtko-veh divadlo]*

MUSIC
HUDBA

Where is the concert hall?	**Kde je koncertní hala?**	*[gde ye kontsertn^{y}ee hala]*
What's on at the opera tonight?	**Co dávají dnes večer v opeře?**	*[tso dahvayee dnes vecher v operzhe]*
I'd like to go to a rock concert.	**Chtěl bych jít na rockový koncert.**	*[kht^{y}el bikh yeet na rokovee kontsert]*
What kind of music do you like?	**Jakou hudbu máš rád?**	*[yakoh hoodboo mahsh raht]*
I like ...	**Líbí se mi ...**	*[leebee se mi]*
- classical music	**- klasická hudba**	*[klasitskah hoodba]*
- rock music	**- rocková hudba**	*[rokovah hoodba]*
- pop music	**- populární hudba**	*[popoolahrn^{y}ee hoodba]*
- rock-and-roll music	**- rokenrol**	*[rokenrol]*
- country music	**- country hudba**	*[kahntri hoodba]*
- opera	**- opera**	*[opera]*
- old music	**- stará hudba**	*[starah hoodba]*
- contemporary music	**- současná hudba**	*[sohchasnah hoodba]*
- instrumental music	**- instrumentální hudba**	*[instroomentahln^{y}ee hoodba]*
Who composed this symphony?	**Kdo napsal tuto symfonii?**	*[gdo napsal tooto simfoniyi]*
... is my favourite composer.	**Mým nejoblíbenějším skladatelem je ...**	*[meem neyobleeben^{y}eysheem skladatelem ye]*
What's the name of the conductor?	**Jak se jmenuje ten dirigent?**	*[yak se ymenooye ten dirigent]*
Can you play a musical instrument?	**Umíš hrát na nějaký hudební nástroj?**	*[oomeesh hraht na n^{y}eyakee hoodebn^{y}ee nahstroy]*
I can play ...	**Hraji na ...**	*[hrayi na]*
- the flute	**- flétnu**	*[flehtnoo]*
- the piano	**- klavír**	*[klaveer]*
- the guitar	**- kytaru**	*[kitaroo]*
- the accordion	**- harmoniku**	*[harmonikoo]*
- the violin	**- housle**	*[hohsle]*

CINEMA
KINO

Would you go to the cinema with me?	**Šla bys se mnou do kina?**	*[shla bis se mnoh do kina]*
Who is the director?	**Kdo je režisérem?**	*[gdo ye rezhisehrem]*
Who's in it?	**Kdo v tom hraje?**	*[gdo v tom hraye]*
Who plays the lead?	**Kdo hraje hlavní roli?**	*[gdo hraye hlavnʸee roli]*

a cartoon	**animovaný film**	*[animovanee film]*
a colour film	**barevný film**	*[barevnee film]*
a full length film	**celovečerní film**	*[tselovechernʸee film]*
a black and white film	**černobílý film**	*[chernobeelee film]*
a detective film	**detektivka**	*[detektivka]*
an adventure film	**dobrodružný film**	*[dobrodroozhnee film]*
a documentary film	**dokumentární film**	*[dokoomentahrnʸee film]*
a film for children	**film pro děti**	*[film pro dʸetʸi]*
a horror	**horor**	*[horor]*
a comedy	**komedie**	*[komediye]*
a silent film	**němý film**	*[nʸemee film]*
a fairy tale	**pohádka**	*[pohahtka]*
a film about nature	**přírodovědný film**	*[przheerodovyednee film]*
a psychological drama	**psychologické drama**	*[psikhologitskeh drama]*
a science fiction film	**vědeckofantastický film**	*[vyedetskofantastitskee film]*

RADIO AND TELEVISION
RADIO A TELEVIZE

Do you have a radio/ a TV set?	**Máte rádio/ televizi?**	*[mahte rahdiyo/ televizi]*

I like listening to the musical programmes.	**Rád poslouchám hudební programy.**	*[raht poslohkhahm hoodebn^{y}ee programi]*
Switch the radio on/ off.	**Zapni/ vypni rádio.**	*[zapn^{y}i/ vipn^{y}i rahdiyo]*
Turn the radio up/ down, please.	**Prosím, zesil/ zeslab rádio.**	*[proseem zesil/ zeslap rahdi-yo]*
What time is the news?	**V kolik hodin jsou zprávy?**	*[v kolik hod^{y}in ysoh sprahvi]*
The reception is bad.	**Je špatný příjem.**	*[ye shpatnee przheeyem]*
This station broadcasts ...	**Tato stanice vysílá ...**	*[tato stan^{y}itse viseelah]*
- on high frequency waves	**- na velmi krátkých vlnách**	*[na velmi kraht-keekh vlnahkh]*
- on short frequency waves	**- na krátkých vlnách**	*[na krahtkeekh vlnahkh]*
- on medium frequency waves	**- na středních vlnách**	*[na strzhedn^{y}eekh vlnahkh]*
- on long frequency waves	**- na dlouhých vlnách**	*[na dloh-heekh vlnahkh]*
Would you like to watch TV?	**Chtěl byste se dívat na televizi?**	*[kht^{y}el bis-te se d^{y}ee-vat na televizi]*
Have you got a TV guide?	**Máte televizní program?**	*[mahte televizn^{y}ee program]*
Pass me the remote control, will you?	**Podej mi, prosím, dálkový ovladač.**	*[podey mi proseem dahlkovee ovladach]*
I'll switch over to another channel.	**Přepnu na jiný program.**	*[przhepnoo na yinee program]*
Have you got a cable TV?	**Máte kabelovou televizi?**	*[mahte kabelovoh televizi]*

a film star	**filmová hvězda**	*[filmovah hvyezda]*
an actor/ actress	**herec/ herečka**	*[herets/ herechka]*
an announcer	**hlasatel**	*[hlasatel]*
a camera man	**kameraman**	*[kameraman]*
a stuntman	**kaskadér**	*[kaskadehr]*

a producer	producent	*[prodootsent]*
a film director	režisér	*[rezhisehr]*
a script writer	scénárista	*[stsehnahrista]*
staff	štáb	*[shtahp]*
an aerial	anténa	*[antehna]*
a TV set	televizní přijímač	*[televizn'ee przhiyeemach]*
a TV screen	obrazovka	*[obrazovka]*
a remote control	dálkový ovládač	*[dahlkovee ovlahdach]*
a brightness	jas	*[yas]*
contrast	kontrast	*[kontrast]*
volume	hlasitost	*[hlasitost]*
a TV camera	televizní kamera	*[televizn'ee kamera]*
a radio receiver	rádiový přijímač	*[rahdi-yovee przhi-yeemach]*
a tape recorder	gramofón	*[gramofōn]*
an amplifier	zesilovač	*[zesilovach]*
a CD player	CD-přehrávač	*[tseh-deh-przhehrah-vach]*
a video tape	videokazeta	*[videokazeta]*
a battery	baterie	*[bateriye]*
a speaker	reproduktor	*[reprodooktor]*
headphones	sluchátka	*[slookhahtka]*
treble control	ladění výšek	*[lad'en'ee veeshek]*
to plug in	zapojit do sítě	*[zapoyit do seet'e]*

BOOKS
KNIHY

I am interested in literature.	**Zajímám se o literaturu.**	*[zayeemahm se o literatooroo]*
I am keen on reading books.	**Moc rád čtu knihy.**	*[mots raht chtoo kn'ihi]*
Do you go to the library?	**Chodíš do knihovny?**	*[khod'eesh do kn'ihovni]*
It is a ... book.	**Je to ... kniha.**	*[ye to kn'iha]*
- thrilling	**- napínavá**	*[napeenavah]*

- boring	**- nudná**	*[noodnah]*
- exciting	**- vzrušující**	*[vzrooshooyeetsee]*
- amusing	**- zábavná**	*[zahbavnah]*
Do you prefer prose or poetry?	**Máte raději prózu nebo poezii?**	*[mahte rad^{y}eyi prō-zoo nebo po-ezi-yi]*
You are a well-read man.	**Jste velmi sečtělý člověk.**	*[yste velmi secht^{y}elee chlovyek]*
I've only leafed the book through.	**Jenom jsem tu knihu prolistovala.**	*[yenom ysem too kn^{y}ihoo prolistovala]*
Who illustrated this book?	**Kdo ilustroval tuto knihu?**	*[gdo iloostroval too-to kn^{y}ihoo]*
Is it the last edition?	**Je to poslední vydání?**	*[ye to posledn^{y}ee vidahn^{y}ee]*

an author	**autor**	*[aootor]*
a saga	**báje**	*[bahye]*
a ballad	**balada**	*[balada]*
a poem	**báseň**	*[bahsen^y]*
a poet	**básník**	*[bahsn^{y}eek]*
fiction	**beletrie**	*[beletri-ye]*
a book of travels	**cestopis**	*[tsestopis]*
a detective story	**detektivka**	*[detektivka]*
an encyclopedia	**encyklopedie**	*[enciklopedi-ye]*
a historical novel	**historický román**	*[historitskee romahn]*
a chapter	**kapitola**	*[kapitola]*
a legend	**legenda**	*[legenda]*
a publisher	**nakladatel**	*[nakladatel]*
a publishing house	**nakladatelství**	*[nakladatelstvee]*
a non-fiction	**nauková literatura**	*[naookovah literatoora]*
contents	**obsah**	*[opsakh]*
poetry	**poezie**	*[poeziye]*
a fairy tale	**pohádka**	*[pohahtka]*
a saying	**pořekadlo**	*[porzhekadlo]*
a folk tale	**pověst**	*[povyest]*
a short story	**povídka**	*[poveetka]*
prose	**próza**	*[prōza]*
a novel	**román**	*[romahn]*

a writer	spisovatel	*[spisovatel]*
an introduction	úvod	*[ōōvot]*
an editor	vydavatel	*[vidavatel]*

NEWSPAPERS AND MAGAZINES
NOVINY A ČASOPISY

I'd like today's edition of Mladá fronta, please.	**Chtěl bych dnešní vydání novin Mladá fronta.**	*[kht^yel bikh dneshn^yee vidahn^yee novin mladah fronta]*
Has Reflex come out yet?	**Vyšel již Reflex?**	*[vishel yish refleks]*
Have you got any sport magazines?	**Máte nějaké časopisy o sportu?**	*[mahte n^yeyakeh chasopisi o sportoo]*
Have you read today's papers?	**Četl jste už dnešní noviny?**	*[chetl yste oosh dneshn^yee novini]*
I have subscribed the Týden.	**Předplatil jsem si Týden.**	*[przhetplat^yil ysem si teeden]*

SIGHTSEEING
PROHLÍŽENÍ PAMĚTIHODNOSTÍ

Where is the tourist office?	**Kde jsou turistické informace?**	*[gde ysoh tooristitskeh informatse]*
Have you got a guide of Prague?	**Máte průvodce Prahy?**	*[mahte prōōvot-tse prahi]*
What are the main places of interest in the country?	**Která jsou nejzajímavější místa v zemi?**	*[kterah ysoh neyzayeemavyeyshee meesta v zemi]*
You should visit the castle.	**Měli byste navštívit hrad.**	*[mn^yeli bis-te navsht^yeevit hrat]*
It is really worth seeing.	**Stojí opravdu za vidění.**	*[stoyee opravdoo za vid^yen^yee]*
How do you like it?	**Jak se Vám to líbí?**	*[yak se vahm to leebee]*
Sightseeing makes me feel horribly tired.	**Prohlížení památek mě strašně unavuje.**	*[prohleezhen^yee pamahtek mn^ye strashn^ye oonavooye]*

I am keen on sights.	**Mám rád památky.**	*[mahm raht pamahtki]*
Could you recommend us a sightseeing tour?	**Můžete nám doporučit vyhlídkovou cestu?**	*[mōōzhete nahm doporoochit vihleet-kovoh tsestoo]*
What time are we going to be back?	**V kolik hodin budeme zpátky?**	*[v kolik hodʸin boo-deme spahtki]*
Is there an English speaking guide?	**Je tam anglicky mluvící průvodce?**	*[ye tam anglitski mlooveetsee prōōvot-tse]*
Where is/ are ...?	**Kde je ...?**	*[gde ye]*
- the botanical garden	**- botanická zahrada**	*[botanitskah zahrada]*
- the centre of the town	**- centrum města**	*[tsentroom mnʸesta]*
- the artist's quarter	**- čtvrť umělců**	*[chtvrtʸ oomnʸelcōō]*
- the theatre	**- divadlo**	*[divadlo]*
- the fountain	**- fontána**	*[fontahna]*
- the caves	**- jeskyně**	*[yeskinʸe]*
- the chapel	**- kaple**	*[kaple]*
- the cathedral	**- katedrála**	*[katedrahla]*
- the convent	**- klášter**	*[klahshter]*
- the concert hall	**- koncertní síň**	*[kontsertnʸee seenʸ]*
- the church	**- kostel**	*[kostel]*
- the palace	**- palác**	*[palahts]*
- the museum	**- muzeum**	*[moozeoom]*
- the embankment	**- nábřeží**	*[nahbrzhezhee]*
- the square	**- náměstí**	*[nahmnʸestʸee]*
- the shopping area	**- obchodní čtvrť**	*[opkhodnʸee chtvrtʸ]*
- the abbey	**- opatství**	*[opatstvee]*
- the monument	**- památník**	*[pamahtnʸeek]*
- the memorial	**- pomník**	*[pomnʸeek]*
- the harbour	**- přístav**	*[przheestav]*
- the town hall	**- radnice**	*[radnʸitse]*
- the statue	**- socha**	*[sokha]*
- the tower	**- věž**	*[vyesh]*
- the garden	**- zahrada**	*[zahrada]*
- the castle	**- zámek**	*[zahmek]*
- the ZOO	**- zoologická zahrada**	*[zologitskah zahrada]*

What are the opening hours?	**Jaká je otevírací doba?**	*[yakah ye oteveera-tsee doba]*
How much is the admission?	**Kolik stojí vstupné?**	*[kolik stoyee vstoopneh]*
Is there a discount for ...?	**Je tu sleva pro ...?**	*[ye too sleva pro]*
- children	**- děti**	*[d^{y}et^{y}i]*
- disabled	**- tělesně postižené**	*[t^{y}elesn^{y}e post^{y}izheneh]*
- pensioners	**- důchodce**	*[dōōkhottse]*
- students	**- studenty**	*[stoodenti]*
Am I allowed to take pictures?	**Může se tu fotografovat?**	*[mōōzhe se too fotografovat]*
What's that building?	**Co je to za budovu?**	*[tso ye to za boodovoo]*
- a Romanesque rotunda	**- románská rotunda**	*[romahnskah rotoonda]*
- a gothic cathedral	**- gotická katedrála**	*[gotitskah katedrah-la]*
- a baroque church	**- barokní kostel**	*[barokn^{y}ee kostel]*
Who painted the picture?	**Kdo namaloval ten obraz?**	*[gdo namaloval ten obras]*
Is it an original or a copy?	**Je to originál nebo kopie?**	*[ye to originahl nebo kopiye]*
Who created the sculpture?	**Kdo vytvořil tuto sochu?**	*[gdo vitvorzhil tooto sokhoo]*
When was it built?	**Kdy to bylo postavené?**	*[gdi to bilo postaveneh]*
What architectural style is it?	**V jakém architektonickém stylu je to postaveno?**	*[v yakehm arkhitek-tonitskehm stiloo ye to postaveno]*
Who is the owner of the castle?	**Kdo vlastní tento hrad?**	*[gdo vlastn^{y}ee tento hrat]*
That's ...	**To je ...**	*[to ye]*
- amazing/ superb	**- úžasné/ nádherné**	*[ōōzhasneh/ nahd-herneh]*
- boring/ gloomy	**- nudné/ ponuré**	*[noodneh/ ponooreh]*
- magnificent/ tremendous	**- velkolepé/ obrovské**	*[velkolepeh/ obrovskeh]*
I like it here.	**Líbí se mi tady.**	*[leebee se mi tadi]*

SPORTS AND GAMES
SPORTY A HRY

Do you like sport?	**Máte rád sport?**	*[mahte raht sport]*
My favourite sport is ...	**Můj nejoblíbenější sport je ...**	*[mōōy neyobleebe-n'eyshee sport ye]*
I practise ...	**Pěstuji ...**	*[pyestooyi]*
I prefer winter sports to summer sports, and you?	**Mám raději zimní sporty než letní, a ty?**	*[mahm rad'e-yi zim-n'ee sporti nesh let-n'ee a ti]*

CYCLING
CYKLISTIKA

I'd like to have a ride on my bicycle.	**Rád bych si vyjel na kole.**	*[raht bikh viyel na kole]*
I ride my bike every day.	**Jezdím na kole každý den.**	*[yezd'eem na kole kazhdee den]*
I wish to have ...	**Přeji si ...**	*[przheyi si]*
- a mountain bike	**- horské kolo**	*[horskeh kolo]*
- a road bike	**- silniční kolo**	*[siln'ichn'ee kolo]*
I need new ...	**Potřebuji nové ...**	*[potrzhebooyi noveh]*
- brakes	**- brzdy**	*[brzdi]*
- front light	**- přední světlo**	*[przhedn'ee svyetlo]*
My tyre is flat.	**Mám píchlé kolo.**	*[mahm peekhleh kolo]*

FOOTBALL
FOTBAL

Do you play football?	**Hraješ fotbal?**	*[hrayesh fotbal]*
Who is playing?	**Kdo hraje?**	*[gdo hraye]*
England versus Brasil.	**Anglie proti Brazílii.**	*[angliye prot'i bra-zeeliyi]*
Who do you support?	**Komu fandíš?**	*[komoo fand'eesh]*
What's the result of yesterday's match?	**Jak skončil včerejší zápas?**	*[yak skonchil vche-reyshee zahpas]*

England won two to one.	**Anglie vyhrála 2:1.**	*[angli-ye vihrahla dva yedna]*
Brasil lost the match.	**Brazílie prohrála zápas.**	*[brazeeli-ye prohrahla zahpas]*
The match ended in a draw nil to nil.	**Zápas skončil remízou 0:0.**	*[zahpas skonchil remeezoh noola noola]*
England has qualified for the semifinals.	**Anglie postupuje do semifinále.**	*[angli-ye postoopooye do semifinahle]*
Who scored the equalizer?	**Kdo dal vyrovnávací gól?**	*[gdo dal virovnahvatsee gōl]*
He was sent off the field.	**Byl vyloučen ze hry.**	*[bil vilohchen ze hri]*
He was penalized.	**Byl potrestán.**	*[bil potrestahn]*
When will the return match be played?	**Kdy se hraje odvetný zápas?**	*[gdi se hraye odvetnee zahpas]*
The referee whistled the end of the first half.	**Rozhodčí odpískal konec prvního poločasu.**	*[rozhotchee otpeeskal konets prvn^yeeho polochasoo]*

TENNIS
TENIS

Are there tennis courts around here?	**Jsou tu někde tenisové kurty?**	*[ysoh too n^y^egde tenisoveh koorti]*
Do you hire tennis balls and rackets?	**Pronajímáte tenisové míčky a rakety?**	*[pronayeemahte tenisoveh meechki a raketi]*
He is good at singles/ doubles.	**Je dobrý ve dvouhře/ čtyřhře.**	*[ye dobree ve dvohhrzhe/ chtirzh-hrzhe]*
What's the score?	**Kolik to je?**	*[kolik to ye]*
Advantage Lendl.	**Lendl má výhodu.**	*[lendl mah veehodoo]*
Who won the first set?	**Kdo vyhrál první set?**	*[gdo vihrahl prvn^y^ee set]*
It was ...	**To byl/ byla/ bylo ...**	*[to bil/ bila/ bilo]*
- an excellent service	**- vynikající podání**	*[vin^y^ikayeetsee podahn^y^ee]*
- a double fault	**- dvojitá chyba**	*[dvoyitah khiba]*

AQUATIC SPORTS
VODNÍ SPORTY

I am a non-swimmer.	**Jsem neplavec.**	*[ysem neplavets]*
Let's go swimming.	**Pojďme si zaplavat.**	*[pot^{y}me si zaplavat]*
Where is ...?	**Kde je ...?**	*[gde ye]*
- a swimming pool	**- bazén**	*[bazehn]*
- bathing pool	**- koupaliště**	*[kohpalisht^{y}e]*
Can you swim ...?	**Umíš plavat ...?**	*[oomeesh plavat]*
- crawl/ butterfly	**- kraula/ motýlka**	*[kraoola/ moteelka]*
- breast/ back	**- prsa/ znak**	*[prsa/ znak]*
It's deep water here.	**Je tady moc hluboká voda.**	*[ye tadi mots hloobokah voda]*

VOLLEYBALL
ODBÍJENÁ

Let's play volleyball.	**Pojďme si zahrát odbíjenou.**	*[pot^{y}me si zahraht otbeeyenoh]*
It's your turn to serve.	**Máš podání.**	*[mahsh podahn^{y}ee]*
It was a good smash.	**To byla dobrá smeč.**	*[to bila dobrah smech]*
It's a loss.	**To je ztráta.**	*[to ye strahta]*

WINTER SPORTS
ZIMNÍ SPORTY

Do you like skiing/ skating/ snowboarding?	**Máš rád lyžování/ bruslení/ jezdění na snowboardu?**	*[mahs raht lizhovahn^{y}ee/ brooslen^{y}ee/ yezhd^{y}en^{y}ee na snohbordoo]*
Do you prefer down hill skiing or cross country skiing?	**Máš raději sjezdové lyžování nebo běh na lyžích?**	*[mahs rad^{y}eyi syezdoveh lizhovahn^{y}ee nebo byekh na lizheekh]*
What's the snow like?	**Jaký je sníh?**	*[yakee ye sn^{y}eekh]*
I got ... as a present.	**Dostal jsem ...**	*[dostal ysem]*
- skates	**- brusle**	*[broosle]*
- goggles	**- lyžařské brýle**	*[lizharzhskeh breele]*

You should wasp the skis.	**Měl bys navoskovat lyže.**	*[mnʸel bis navoskovat lizhe]*
How can I get to ...	**Jak se dostanu k ...**	*[yak se dostanoo k]*
- a running track	**- sjezdovce**	*[syezdovtse]*
- a ski-tow	**- vleku**	*[vlekoo]*

athletic	**atletika**	*[atletika]*
the decathlon	**desetiboj**	*[desetʸiboy]*
sprinting events	**běh na krátkou trať**	*[byekh na krahtkoh tratʸ]*
a long distance race	**běh na dlouhou trať**	*[byekh na dloh-hoh tratʸ]*
a hurdle race	**překážkový běh**	*[przhekahshkovee byekh]*
one hundred meter sprint	**běh na 100 m**	*[byekh na sto metrōō]*
a cross country race	**přespolní běh**	*[przhespolnʸee byekh]*
a high jump	**skok vysoký**	*[skok visokee]*
a pole vault	**skok o tyči**	*[skok o tichi]*
a long jump	**skok daleký**	*[skok dalekee]*
a triple jump	**trojskok**	*[troyskok]*
a javelin throw	**hod oštěpem**	*[hot oshtʸepem]*
rock climbing	**horolezectví**	*[horolezetstvee]*
a shot put	**vrh koulí**	*[vrkh kohlee]*
handball	**házená**	*[hahzenah]*
a discus throw	**hod diskem**	*[hot diskem]*
shooting	**střelba**	*[strzhelba]*
archery	**lukostřelba**	*[lookostrzhelba]*
weight lifting	**vzpírání**	*[vzpeerahnʸee]*
boxing	**boxování**	*[boksovahnʸee]*
ice hockey	**lední hokej**	*[lednʸee hokey]*
horse riding	**jízda na koni**	*[yeezda na konʸi]*
basketball	**košíková**	*[kosheekovah]*
table tennis	**stolní tenis**	*[stolnʸee tenis]*
hiking	**turistika**	*[tooristika]*
gymnastics	**gymnastika**	*[gimnastika]*

TIME
ČAS

It's one o'clock.	**Je jedna hodina.**	*[ye yedna hoďina]*
It's a quarter past three.	**Je čtvrt na čtyři.**	*[ye chtvrt na chtyrzhi]*
It's twenty past three.	**Je dvacet minut po třetí.**	*[ye dvatset minoot po trzheťee]*
It's half past three.	**Je půl čtvrté.**	*[ye pōōl chtvrteh]*
It's twenty to/ till four.	**Je dvacet minut před čtvrtou.**	*[ye dvacet minoot przhet chtvrtoh]*
It's a quarter to four.	**Je tři čtvrtě na čtyři.**	*[ye trzhi chtvrťe na chtirzhi]*

Excuse me, can you tell me what time it is?	**Promiňte, prosím, můžete mi říct, kolik je hodin?**	*[prominʸte proseem mōōzhete mi rheetst kolik ye hoďin]*
It's just noon.	**Je právě poledne.**	*[ye prahvye poledne]*
It's just gone six.	**Před chvílí bylo šest.**	*[przhet khveelee bilo shest]*
It'll be midnight soon.	**Brzy bude půlnoc.**	*[brzi boode pōōlnots]*
The clock is striking nine.	**Hodiny odbíjejí devět.**	*[hoďini odbee-ye-yee devyet]*
It's past two.	**Jsou už dvě pryč.**	*[ysoh oosh dvye prich]*
My watch has stopped.	**Zastavily se mi hodinky.**	*[zastavili se mi hoďinki]*
Have you got time for a while?	**Máte chvíli čas?**	*[mahte khveelee chas]*
We are running out of time.	**Dostáváme se do časové tísně.**	*[dostahvahme se do chasoveh ťeesnʸe]*
It's the highest time to go.	**Je nejvyšší čas, abychom šli.**	*[ye neyvishee chas abikhom shli]*
It's time you went.	**Je čas, abys šel.**	*[ye chas abis shel]*
Time is money.	**Čas jsou peníze.**	*[chas ysoh penʸeeze]*
Have you got time tonight?	**Máte dnes večer čas?**	*[mahte dnes vecher chas]*

When shall we meet?	**Kdy se sejdeme?**	*[gdi se seydeme]*
In an hour.	**Za hodinu.**	*[za hodʸinoo]*
At nine in the evening.	**V devět večer.**	*[v devyet vecher]*
Tomorrow morning.	**Zítra ráno.**	*[zeetra rahno]*
What time should I wait for you?	**V kolik hodin mám na Vás počkat?**	*[v kolik hodʸin mahm na vahs pochkat]*
They spent a lot of time together.	**Strávili spolu hodně času.**	*[strahvili spoloo hodnʸe chasoo]*
I need some time to myself.	**Potřebuji nějaký čas pro sebe.**	*[potrzhebooyi nʸeyakee chas pro sebe]*
He now has enough time for his garden and time to play with his grand-son.	**Teď má dost času věnovat se zahradě a hrát si s vnukem.**	*[tetʸ mah dost chasoo vyenovat se zahradʸe a hraht si s vnookem]*
It's a waste of time.	**To je ztráta času.**	*[to ye strahta chasoo]*
We talked about old times.	**Mluvili jsme o starých časech.**	*[mloovili ysme o stareekh chasekh]*
Have a good time.	**Měj se pěkně.**	*[mnʸey se pyeknʸe]*
Disaster could strike at any time.	**Pohroma může přijít kdykoliv.**	*[pohroma mōōzhe przhiyeet kdikoliv]*
Call me next time you need a lift anywhere.	**Příště, když budeš chtít někam zavézt, zavolej.**	*[przheeshtʸe kdish boodesh khtʸeet nʸekam zavehst zavoley]*
You take a risk every time you cross the road.	**Riskuješ pokaždé, když přecházíš vozovku.**	*[riskooyesh pokazhdeh kdish przhekhahzeesh vozovkoo]*
I think it's time for a party.	**Myslím, že je načase uspořádat večírek.**	*[misleem zhe ye nachase oosporzhahdat vecheerek]*
It's getting dark early in the winter time.	**V zimním období se brzy stmívá.**	*[v zimneem obdobee se brzi stmeevah]*
It was the only time I ever saw him crying.	**To bylo jedinkrát, co jsem ho kdy viděl plakat.**	*[to bilo yedinkraht tso ysem ho gdi vidʸel plakat]*
He will be home at Christmas time.	**V době Vánoc bude doma.**	*[v dobye vahnots boode doma]*
I got in time.	**Přišel jsem včas.**	*[przhishel ysem vchas]*

DAYS OF THE WEEK, MONTHS, YEARS
DNY V TÝDNU, MĚSÍCE, ROKY

Monday	**pondělí**	*[pondʸelee]*
Tuesday	**úterý**	*[ōōteree]*
Wednesday	**středa**	*[strzheda]*
Thursday	**čtvrtek**	*[chtvrtek]*
Friday	**pátek**	*[pahtek]*
Saturday	**sobota**	*[sobota]*
Sunday	**neděle**	*[nedʸele]*
on Monday	**v pondělí**	*[v pondʸelee]*

January	**leden**	*[leden]*
February	**únor**	*[ōōnor]*
March	**březen**	*[brzhezen]*
April	**duben**	*[dooben]*
May	**květen**	*[kvyeten]*
June	**červen**	*[cherven]*
July	**červenec**	*[chervenets]*
August	**srpen**	*[srpen]*
September	**září**	*[zahrzhee]*
October	**říjen**	*[rzheeyen]*
November	**listopad**	*[listopad]*
December	**prosinec**	*[prosinets]*
in January	**v lednu**	*[v lednoo]*
from January	**od ledna**	*[ot ledna]*

What day is it today?	**Jaký je dnes den?**	*[yakee ye dnes den]*
We are coming back ...	**Vrátíme se ...**	*[vrahtʸeeme se]*
- in a week/ month/ year	**- za týden/ měsíc/ rok**	*[za teeden/ mnʸe-seets/ rok]*
- in about three months	**- asi za tři měsíce**	*[asi za trzhi mnʸe-seetse]*
- the day after tomorrow	**- pozítří**	*[pozeetrzhee]*
- until three days	**- do tří dnů**	*[do trzhee dnōō]*

I saw him last week.	**Viděla jsem ho minulý týden.**	*[vid^{y}ela ysem ho minoolee teeden]*
- yesterday	**- včera**	*[vchera]*
- the day before yesterday	**- předevčírem**	*[przhedevcheerem]*
- on Sunday afternoon	**- v neděli odpoledne**	*[v ned^{y}eli otpoledne]*

during the day	**během dne**	*[byehem dne]*
daily	**denně**	*[den^{y}e]*
the other day	**nedávno**	*[nedahvno]*
all day long	**po celý den**	*[po tselee den]*
working day	**pracovní den**	*[pratsovn^{y}ee den]*
night and day	**ve dne v noci**	*[ve dne v notsi]*
day off	**volno**	*[volno]*
ordinary day	**všední den**	*[vshedn^{y}ee den]*
at daybreak	**za úsvitu**	*[za ōōsvitoo]*

THE SEASONS OF THE YEAR
ROČNÍ OBDOBÍ

spring	**jaro**	*[yaro]*
summer	**léto**	*[lehto]*
autumn	**podzim**	*[podzim]*
winter	**zima**	*[zima]*
at the height of summer	**uprostřed léta**	*[ooprostrzhet lehta]*
in the depth of winter	**uprostřed zimy**	*[ooprostrzhet zimi]*
in spring	**na jaře**	*[na yarzhe]*

It's the vernal equinox on 21st March.	**21. března je jarní rovnodennost.**	*[dvatsahteh-ho prvn^{y}eeho brzhezna ye yarn^{y}ee rovnodenost]*
It's the winter solstice on the 22nd December.	**22. prosince je zimní slunovrat.**	*[dvatsahteh-ho droo-heh-ho prosintse ye zimn^{y}ee sloonovrat]*
The days draw in/ out.	**Dny se krátí/ prodlužují.**	*[dni se kraht^{y}ee/ prodloozhooyee]*

WEATHER
POČASÍ

What's the weather forecast for tomorrow?	**Jaká je předpověď počasí na zítra?**	*[yakah ye przhetpo-vyet' pochasee na zeetra]*
It is ...	**Je ...**	*[ye]*
- changeable weather	**- proměnlivé počasí**	*[promn'enliveh pochasee]*
- lovely	**- nádherně**	*[nahdhern'e]*
- bright	**- jasno**	*[yasno]*
- hot	**- horko**	*[horko]*
- close	**- dusno**	*[doosno]*
- drought/ dry	**- sucho/ suchý**	*[sookho/ sookhee]*
- humid	**- vlhko**	*[vlkhko]*
- foggy	**- mlha**	*[mlha]*
- misty	**- opar**	*[opar]*
- cloudy	**- oblačno**	*[oblachno]*
- cloudy with outbreaks of rain	**- zataženo s přívaly deště**	*[zatazheno s przhee-vali desht'e]*
- muddy	**- bláto**	*[blahto]*
- nasty	**- škaredě**	*[shkared'e]*
- windy	**- větrno**	*[vyetrno]*
- cool	**- chladno**	*[khladno]*
- cold	**- zima**	*[zima]*
- freezing	**- mrazivo**	*[mrazivo]*
- icy	**- náledí**	*[nahled'ee]*
It's dead calm.	**Je úplné bezvětří.**	*[ye ōōplneh bez-vyetrzhee]*
The sun is shining.	**Svítí slunce.**	*[sveet'ee sloontse]*
There is a gentle breeze coming out of the sea.	**Z moře vane mírný vánek.**	*[z morzhe vane meer-nee vahnek]*
The sky is clear.	**Nebe je jasné.**	*[nebe ye yasneh]*
The wind is rising.	**Zvedá se vítr.**	*[zvedah se veetr]*
It's getting overcast.	**Zatahuje se.**	*[zatahooye se]*
It's going to rain.	**Bude pršet.**	*[boode prshet]*

It's spitting.	**Poprchává.**	*[poprkhahvah]*
It's raining.	**Prší.**	*[prshee]*
It's pouring.	**Lije.**	*[liye]*
It's raining cats and dogs.	**Lije jako z konve.**	*[liye yako s konve]*
It's hailing.	**Padají kroupy.**	*[padayee krohpi]*
The wind is strong.	**Je silný vítr.**	*[ye silnee veetr]*
It's a gale outside.	**Venku je vichřice.**	*[venkoo ye vikhrzhitse]*
It's stormy.	**Bude bouřka.**	*[boode bohrzhka]*
It's lightning.	**Blýská se.**	*[bleeskah se]*
It's thundering.	**Hřmí.**	*[hrzhmee]*
The thunder-storm is dying down.	**Bouřka ustává.**	*[bohrzhka oostah-vah]*
The wind is getting calm.	**Vítr se utišuje.**	*[veetr se oot^{y}ishooye]*
The storm is over.	**Je po bouřce.**	*[ye po bohrzhtse]*
It's clearing up.	**Vyjasňuje se.**	*[viyasn^{y}ooye se]*
It's a rainbow on the sky.	**Na nebi je duha.**	*[na nebi ye dooha]*
It's snowing.	**Sněží.**	*[sn^{y}ezhee]*
It's a snowstorm outside.	**Venku je vánice.**	*[venkoo ye vahn^{y}itse]*
It is freezing.	**Mrzne.**	*[mrzne]*
I am freezing.	**Je mi hrozná zima.**	*[ye mi hroznah zima]*
It's a wonderful day, isn't it?	**To je kouzelný den, že?**	*[to ye kohzelnee den zhe]*
I hope it will keep fine.	**Doufám, že to vydrží.**	*[dohfahm zhe to vidrzhee]*
It's awful weather!	**To je příšerné počasí!**	*[to ye przheesherneh pochasee]*
What is the temperature?	**Kolik je stupňů?**	*[kolik ye stoopn^{y}ōō]*
It is ...	**Je ...**	*[ye]*
- zero degrees centigrade	**- nula stupňů Celsia**	*[noola stoopn^{y}ōō tselziya]*
- minus ten/ ten below zero	**- deset stupňů pod nulou**	*[deset stoopn^{y}ōō pot nooloh]*
- plus ten/ ten above zero	**- deset stupňů nad nulou**	*[deset stoopn^{y}ōō nat nooloh]*

NUMERALS
ČÍSLOVKY

CARDINAL NUMBERS
ZÁKLADNÍ ČÍSLOVKY

0	nula	*[noola]*	11	jedenáct	*[yedenahtst]*
1	jedna	*[yedna]*	12	dvanáct	*[dvanahtst]*
2	dvě	*[dvye]*	13	třináct	*[trzhinahtst]*
3	tři	*[trzhi]*	14	čtrnáct	*[chtrnahtst]*
4	čtyři	*[chtirzhi]*	15	patnáct	*[patnahtst]*
5	pět	*[pyet]*	16	šestnáct	*[shestnahtst]*
6	šest	*[shest]*	17	sedmnáct	*[sedoomnahtst]*
7	sedm	*[sedoom]*	18	osmnáct	*[osoomnahtst]*
8	osm	*[osoom]*	19	devatenáct	*[devatenahtst]*
9	devět	*[devyet]*	20	dvacet	*[dvatset]*
10	deset	*[deset]*	21	dvacet jedna	*[dvatset yedna]*
30	třicet	*[trzhitset]*			
40	čtyřicet	*[chtirzhitset]*	100	sto	*[sto]*
50	padesát	*[padesaht]*	101	sto jedna	*[sto yedna]*
70	sedmdesát	*[sedoomdesaht]*			
80	osmdesát	*[osoomdesaht]*	1 000	tisíc	*[t^{y}iseets]*
90	devadesát	*[devadesaht]*	1 000 000	milión	*[miliyōn]*

MARKS
ZNAMÉNKA

+	**plus**	*[ploos]*
-	**mínus**	*[meenoos]*
x	**krát**	*[kraht]*
:	**děleno**	*[d^{y}eleno]*
=	**rovnítko**	*[rovn^{y}eetko]*
,	**čárka**	*[chahrka]*
( )	**kulatá závorka**	*[koolatah zahvorka]*
[ ]	**hranatá závorka**	*[hranatah zahvorka]*
{ }	**složená závorka**	*[slozhenah zahvorka]*

USAGE OF NUMERALS
UŽÍTÍ ČÍSLOVEK

It's the thirtieth of November nineteen-ninety-eight today.	**Je 30. listopadu 1998.**	*[ye trzhitsahteh-ho listopadoo devatenahtset devadesaht osoom]*
He is in his thirties.	**Je to třicátník.**	*[ye to trzhitsahtnʸeek]*

WEIGHTS AND MEASURES
VÁHY A MÍRY

UNITS OF LENGTH
DÉLKOVÉ JEDNOTKY

1 inch (in.) 1"		= 2.54 centimetres
1 foot (ft.) 1'	= 12 inches	= 30.48 centimetres
1 yard (yd.)	= 3 feet	= 91.44 centimetres
1 chain	= 22 yards	= 20.12 metres
1 furlong	= 10 chains	= 0.2012 kilometres
1 mile (m.)	= 1.760 yards	= 1.609 kilometres
1 millimetre	= 0.03937 inch	
1 centimetre	= 0.3937 inch	
1 metre	= 39.37 inch	
1 kilometre	= 0.6214 mile	

How far is it?	**Jak je to daleko?**	*[yak ye to daleko]*
How much do you measure?	**Kolik měříš?**	*[kolik mnʸerzheesh]*
I am 162 centimetres tall.	**Jsem vysoká 162 cm.**	*[ysem visokah sto shedesaht dva tsentimetrōō]*
How much do you measure round the waist?	**Kolik máš obvod pasu?**	*[kolik mahsh obvot pasoo]*
How high is the mountain?	**Jak je vysoká tato hora?**	*[yak ye visokah tato hora]*

UNITS OF WEIGHT
VÁHA

1 grain (gr.)		= 0.0648 g
1 dram (dr.)	= 27.3438 grains	= 1.772 g
1 ounce (oz.)	= 16 drams	= 28.35 g
1 pound (lb.)	= 16 ounces	= 453.59 g
1 stone (st.)	= 14 pounds	= 6.348 kg
1 guarter	= 28 pounds	= 12.701 kg
1 UK hundredweight	= 8 stones	= 50.8 kg
1 US hundredweight	= 100 pounds	= 45.36 kg
1 UK ton	= 20 hundred-weight (cwt.)	= 1016 kg
1 US ton	= 2000 pounds	= 907.185 kg
1 milligram (mg)	= 0.015 grain	
1 gram (g)	= 15.43 grains	= 0.035 oz
1 kilogram (kg)	= 2.205 pounds	
1 tonne (t)	= 0.984 ton	= 2,204.62 lb

UNITS OF CAPACITY
OBJEMOVÉ MÍRY

1 fluid ounce		= 0.02841 l
1 gill	= 5 fluid ounces	= 0.1421 l
1 pint (pt)	= 4 gills	= 0.5683 l
1 guart (gt)	= 2 pints	= 1.137 l
1 UK gallon (gal)	= 4 guarts	= 4.546 l
1 US gallon		= 3.785 l
1 barrel	= 35 UK gallons	= 159.106 l
	= 36 UK gallons	= 163.656 l
1 millilitre (ml)	= 0.00176 pint	
1 litre (l)	= 1.76 pint	= 0.22 UK gal

Fill up ten litres of petrol. Načepuj 10 litrů benzínu. *[nachepooy deset litrōō benzeenoo]*